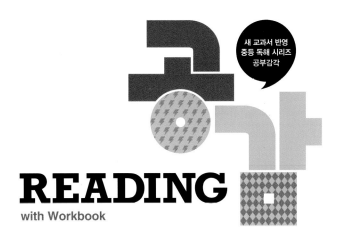

새 교과서 반영
중등 독해 시리즈
공부감각

READING

with Workbook

Level 1

Reading 공감 **Level 1**

지은이 넥서스영어교육연구소
펴낸이 임상진
펴낸곳 (주)넥서스

출판신고 1992년 4월 3일 제311-2002-2호 ⑦
10880 경기도 파주시 지목로 5
Tel (02)330-5500 Fax (02)330-5555

ISBN 978-89-6790-882-9 54740
      978-89-6790-881-2 (SET)

www.nexusEDU.kr
NEXUS Edu는 넥서스의 초·중·고 학습물 전문 브랜드입니다.

※집필에 도움을 주신 분
  :Carolyn Papworth, Minji Kim, Hailey Ma, McKathy Green, Rachel Swan

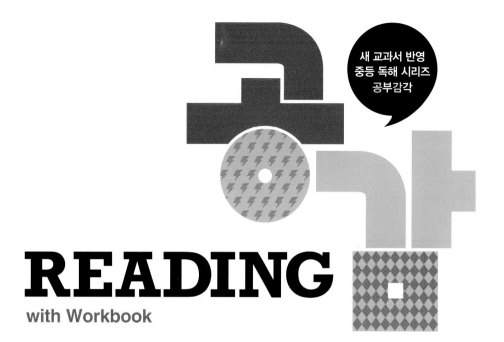

새 교과서 반영
중등 독해 시리즈
공부감각

READING

with Workbook

넥서스영어교육연구소 지음

Level 1

NEXUS Edu

Reading
Gong Gam
helps you...

Get high scores
최신 개정 교과서에 수록된 창의, 나눔, 문화, 건강, 과학, 심리, 음식, 직업 등의 다양한 주제로 독해 지문을 구성하여 영어에 흥미를 가지게 함으로써 내신 성적 향상에 도움을 줍니다.

Obtain a wide vocabulary
풍부한 어휘 리스트를 제공, 기본적인 어휘 실력을 향상시켜 줍니다.

Nurture your English skills
최신 개정 교과서를 분석하여 만든 다양한 지문 및 문제로 독해의 기초를 튼튼히 다져 줍니다. 중등 과정에서 알아야 하는 풍부한 어휘를 제공함으로써 종합적인 영어 실력을 향상시켜 줍니다.

Get writing skills
서술형 평가 문제를 수록하고 서술형 대비 워크북을 따로 제공하여 새로운 교수 평가 방법에 대비할 수 있게 해 줍니다.

Get speaking skills
이미지맵을 통해 글의 요점과 구조, 흐름을 파악하고 그 정보를 이용하여 스스로 스토리텔링을 해 봄으로써 수행평가에 대비하고, 스피킹 능력을 향상시킬 수 있게 해 줍니다.

Acquire good English sense
풍부한 양의 영어 지문을 읽어 봄으로써 영어의 기본 감각을 익히고, 이미지맵을 통해 영어식 사고의 흐름을 파악할 수 있게 해 줍니다.

Master the essentials of reading
엄선된 지문과 문제, 풍부한 어휘, 다양한 배경지식 등을 통해 영어 이해의 필수 요소인 독해를 정복할 수 있게 해 줍니다.

Features

다양한 주제의 지문

최신 교과서에 수록된 창의, 나눔, 사회, 문화, 건강, 과학, 심리, 음식, 직업, 이슈 등의 주제를 이용하여 흥미롭고 유익한 지문으로 구성하였습니다.

객관식·서술형 문제

기본 독해 실력을 확인할 수 있는 내신 대비 유형의 객관식, 서술형 문제로 구성하였습니다.

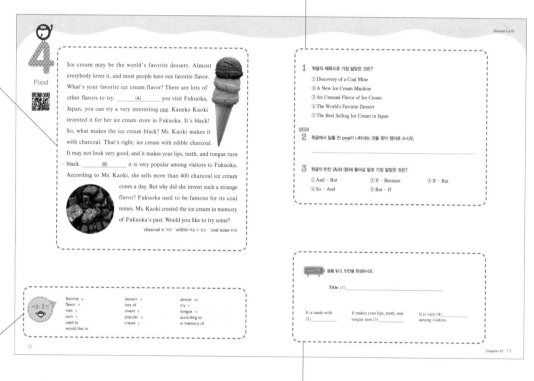

어휘 충전

독해의 기본은 어휘, 어휘 실력을 먼저 점검해 보고 독해 실력을 향상시키는 코너로 구성하였습니다.

이미지맵

독해 지문의 내용을 자연스럽게 스토리텔링할 수 있도록 단계별로 나누어 체계적으로 요약 정리하였습니다.

지식 채널

독해 지문과 직접적으로 관련이 있는 배경지식뿐만 아니라, 독해 실력 향상의 기초가 되는 다양한 배경지식을 제공하고 있습니다.

Review Test

영영풀이, 유의어, 반의어, 다의어 등을 묻는 문제와 빈칸 채우기 문제를 통해 어휘를 복습할 수 있도록 구성하였습니다.

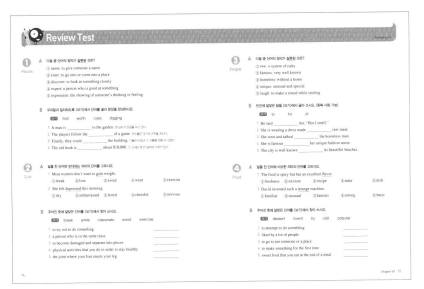

어휘 재충전

어휘 충전 코너에 없는 우리말 뜻을 제공하여 어휘의 의미를 쉽게 확인할 수 있도록 구성하였습니다.

Workbook

서술형 대비 워크북을 통해 어휘 및 문장 배열, 쓰기 문제를 마스터 할 수 있도록 구성하였습니다.

Answers

어휘, 중요 구문 분석을 통해 정확하고 명쾌한 해설을 확인할 수 있습니다.

Contents

C h a p t e r

01

Places

Life

People

Food

Places

Do you know the expression, "finders are keepers"?
Well, "Finders Keepers" is the rule at the Crater
of Diamonds State Park in Arkansas. You can
dig for diamonds there, and if you find one,
5 you can keep it. Most people don't get lucky.
But twelve-year-old Michael Detlaff did! Michael,
a Boy Scout, went to the park and discovered a 5.16 carat diamond.
Amazingly, he found the diamond just 10 minutes after entering the park.
Michael named his diamond "God's Glory." Experts say the God's Glory
10 Diamond is worth about $15,000. And Michael's admission fee was only
$4.

*crater 분화구

1 윗글에서 Michael이 느꼈을 기분으로 가장 알맞은 것은?

① nervous   ② frightened   ③ pleased

④ shocked   ⑤ embarrassed

2 윗글에서 밑줄 친 "finders are keepers"가 의미하는 것을 찾아 우리말로 쓰시오.

_____

expression n._____   rule n._____   dig for _____
find v._____   keep v._____   discover v._____
amazingly ad._____   enter v._____   name v._____
expert n._____   worth a._____   admission fee _____

2

Life

Dear Laura,

I feel so depressed lately. During the summer vacation, I broke my ankle. I couldn't do any exercise, and I gained a lot of weight. Now my classmates call me "fatty." I don't want to go to school. What can I do?

Gloomy Girl

5

Dear Gloomy Girl,

Who is the most important person in your life? YOU! Yes, that's right. You must try to feel good about yourself. Your weight gain is just for now.

10 You can lose it. Just avoid junk food, eat mostly vegetables, and try yoga. Happy people take good care of themselves. So, be nice to yourself and you will lose the extra weight. I promise!

Laura

1 윗글에서 소녀가 우울함을 느끼는 이유로 가장 알맞은 것은?

① 학교 성적이 떨어져서　　② 체중이 늘어서　　③ 이성 친구가 없어서

④ 부모님의 간섭이 심해서　　⑤ 방학 숙제가 많아서

2 윗글의 내용과 일치하면 T, 그렇지 않으면 F를 쓰시오.

(1) 소녀는 팔을 다쳐서 방학 동안 운동을 할 수 없었다.　　_____

(2) 소녀는 반 친구들이 놀리기 때문에 학교에 가기 싫어한다.　　_____

(3) Laura는 소녀에게 몸무게를 줄이기 위해 조깅을 하라고 충고한다.　　_____

depressed a. _____	lately ad. _____	break v. _____
ankle n. _____	exercise n. _____	gain weight _____
fatty n. _____	gloomy a. _____	weight gain _____
lose v. _____	avoid v. _____	junk food _____
mostly ad. _____	vegetable n. _____	take care of _____

어휘 충전

3

People

Lady Gaga is a superstar. She is famous for hit songs including "Just Dance," "Poker Face," "Born This Way," and many more. She is also well known for her unique fashion sense. Once she wore a dress

5 made of Kermit the Frog dolls. Another time she wore a dress made of raw meat.

(is, do, think, too strange, Lady Gaga, you)? This little story might change your mind. One day, Lady Gaga saw a homeless man. She went and talked to the man, took pictures with him, and gave him money.

10 Sadly, he said to her, "But I smell." Lady Gaga laughed and said, "Don't worry. I smell, too!"

Lady Gaga may be strange, but she may have a very big heart, too.

＊Kermit the Frog 패밀리 쇼인 "The Muppets"에 나오는 개구리 인형

어휘 충전

be famous for _____	hit song _____	including prep. _____
be well known for _____	unique a. _____	sense n. _____
once ad. _____	wear v. _____	made of _____
raw a. _____	meat n. _____	strange a. _____
change one's mind _____	homeless a. _____	take a picture _____
give v. _____	sadly ad. _____	smell v. _____
laugh v. _____		

1 윗글의 주제로 가장 알맞은 것은?

① Two heads are better than one.

② Action speaks louder than words.

③ A friend in need is a friend indeed.

④ Don't judge a man by his appearance.

⑤ You can't have your cake and eat it too.

2 Lady Gaga에 관한 윗글의 내용과 일치하지 <u>않는</u> 것은?

① 여러 히트 곡을 가지고 있는 슈퍼스타이다.

② 독특한 패션 감각을 지니고 있다.

③ 날고기로 만든 옷을 입은 적이 있다.

④ 노숙자에게 자신이 만든 옷을 건네주었다.

⑤ 노숙자와 함께 사진을 찍었다.

3 윗글의 (   ) 안에 주어진 단어를 우리말과 같은 뜻이 되도록 배열하시오.

당신은 Lady Gaga가 너무 이상하다고 생각하는가?

_____

Lady Gaga는 여성 싱어송라이터이자 행위 예술가로 본명은 Stefani Joanne Angelina Germanotta (스테파니 조안 안젤리나 저마노타)이다. Lady Gaga는 여러 유명 가수의 노래를 작곡하면서 경력을 쌓기 시작했고, 2008년에 솔로 가수로 데뷔했다. 데뷔 이후 세계의 각종 음악 차트에서 1위를 하면서 이름을 알렸고, 파격적인 패션으로 화제를 모으며 전 세계의 유행을 선도하는 슈퍼스타로 자리매김하였다. 가끔은 기괴하고 특별한 의상으로 사람들을 놀라게 하지만, 그녀는 팬에 대한 사랑과 배려 또한 특별한 것으로 알려져 있다. Lady Gaga는 경제전문지 <Forbes>에서 선정한 세계에서 가장 영향력 있는 음악인 1위에 오르기도 하였다.

4

Food

Ice cream may be the world's favorite dessert. Almost everybody loves it, and most people have one favorite flavor. What's your favorite ice cream flavor? There are lots of other flavors to try. _____(A)_____ you visit Fukuoka,
5 Japan, you can try a very interesting <u>one</u>. Kaneko Kaoki invented it for her ice cream store in Fukuoka. It's black! So, what makes the ice cream black? Ms. Kaoki makes it with charcoal. That's right; ice cream with edible charcoal.

It may not look very good, and it makes your lips, teeth, and tongue turn
10 black. _____(B)_____ it is very popular among visitors to Fukuoka. According to Ms. Kaoki, she sells more than 400 charcoal ice cream

cones a day. But why did she invent such a strange flavor? Fukuoka used to be famous for its coal mines. Ms. Kaoki created the ice cream in memory of Fukuoka's past. Would you like to try some?

*charcoal 숯; 목탄 *edible 먹을 수 있는 *coal mine 탄광

어휘 충전

favorite a. _____	dessert n. _____	almost ad. _____
flavor n. _____	lots of _____	try v. _____
visit v. _____	invent v. _____	tongue n. _____
turn v. _____	popular a. _____	according to _____
used to _____	create v. _____	in memory of _____
would like to _____		

1 윗글의 제목으로 가장 알맞은 것은?

① Discovery of a Coal Mine

② A New Ice Cream Machine

③ The World's Favorite Dessert

④ An Unusual Flavor of Ice Cream

⑤ The Best Selling Ice Cream in Japan

2 윗글에서 밑줄 친 <u>one</u>이 나타내는 것을 찾아 영어로 쓰시오.

_____

3 윗글의 빈칸 (A)와 (B)에 들어갈 말로 가장 알맞은 것은?

① And – But   ② If – Because   ③ If – But

④ So – And   ⑤ But – If

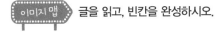 글을 읽고, 빈칸을 완성하시오.

Title: (1)_____

It is made with (2)_____.

It makes your lips, teeth, and tongue turn (3)_____.

It is very (4)_____ among visitors.

Review Test

A 다음 중 단어의 정의가 <u>잘못된</u> 것은?

① name: to give someone a name

② enter: to go into or come into a place

③ discover: to look at something closely

④ expert: a person who is good at something

⑤ expression: the showing of someone's thinking or feeling

B 우리말과 일치하도록 〈보기〉에서 단어를 골라 문장을 완성하시오.

> 보기   find   worth   rules   digging

1 A man is _____ in the garden. 한 남자가 정원을 파고 있다.

2 The players follow the _____ of a game. 선수들은 경기의 규칙을 지킨다.

3 Finally, they could _____ the building. 그들은 마침내 그 건물을 찾을 수 있었다.

4 The old book is _____ about $10,000. 그 고서는 약 만 달러의 가치가 있다.

A 밑줄 친 단어와 <u>반대되는</u> 의미의 단어를 고르시오.

1 Most women don't want to <u>gain</u> weight.

① break   ② lose   ③ avoid   ④ wear   ⑤ exercise

2 She felt <u>depressed</u> this morning.

① shy   ② embarrassed   ③ bored   ④ cheerful   ⑤ nervous

B 주어진 뜻에 알맞은 단어를 〈보기〉에서 찾아 쓰시오.

> 보기   break   ankle   classmate   avoid   exercise

1 to try not to do something _____

2 a person who is in the same class _____

3 to become damaged and separate into pieces _____

4 physical activities that you do in order to stay healthy _____

5 the joint where your foot meets your leg _____

3 People

A 다음 중 단어의 정의가 잘못된 것은?

① raw: a system of rules

② famous: very well known

③ homeless: without a home

④ unique: unusual and special

⑤ laugh: to make a sound while smiling

B 빈칸에 알맞은 말을 〈보기〉에서 골라 쓰시오. (중복 사용 가능)

보기 to   for   of

1 He said _____ her, "But I smell."

2 She is wearing a dress made _____ raw meat.

3 She went and talked _____ the homeless man.

4 She is famous _____ her unique fashion sense.

5 The city is well known _____ its beautiful beaches.

4 Food

A 밑줄 친 단어와 비슷한 의미의 단어를 고르시오.

1 The food is spicy but has an excellent flavor.

①freshness   ②mixture   ③recipe   ④taste   ⑤dish

2 David invented such a strange machine.

①familiar   ②unusual   ③famous   ④strong   ⑤basic

B 주어진 뜻에 알맞은 단어를 〈보기〉에서 찾아 쓰시오.

보기 dessert   invent   try   visit   popular

1 to attempt to do something   _____

2 liked by a lot of people   _____

3 to go to see someone or a place   _____

4 to make something for the first time _____

5 sweet food that you eat at the end of a meal _____

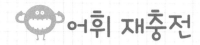 어휘 재충전

1 Places

□ expression	n. 표현
□ rule	n. 법칙
□ dig for	~을 찾아 땅을 파다
□ find	v. ~을 찾다, 발견하다
□ keep	v. 보유하다, 가지다
□ discover	v. ~을 발견하다
□ amazingly	ad. 놀랍게도
□ enter	v. ~에 입장하다
□ name	v. 이름을 지어주다
□ expert	n. 전문가
□ worth	a. 가치가 있는
□ admission fee	입장료

2 Life

□ depressed	a. 우울한, 암울한
□ lately	ad. 최근에
□ break	v. ~을 부러뜨리다, 부수다
□ ankle	n. 발목
□ exercise	n. 운동, 연습
□ gain weight	체중이 늘다
□ fatty	n. 뚱뚱보
□ gloomy	a. 우울한
□ weight gain	체중 증가, 비만
□ lose	v. ~을 잃다, 줄다
□ avoid	v. ~을 피하다, 막다
□ junk food	정크푸드 (인스턴트식품)
□ mostly	ad. 주로, 대부분
□ vegetable	n. 채소
□ take care of	~을 돌보다

3 People

□ be famous for	~로 유명하다
□ hit song	히트곡
□ including	prep. ~을 포함하여
□ be well-known for	~로 잘 알려지다
□ unique	a. 독특한, 특이한
□ sense	n. 감각
□ once	ad. 일찍이, 이전에(한 번)
□ wear	v. 입다
□ made of	~로 만들어진
□ raw	a. 익히지 않은, 날것의
□ meat	n. 고기
□ strange	a. 이상한, 낯선
□ change one's mind	~의 생각을 바꾸다
□ homeless	a. 노숙자의
□ take a picture	사진을 찍다
□ give	v. 주다
□ sadly	ad. 슬프게, 유감스럽게도
□ smell	v. ~한 냄새가 나다
□ laugh	v. (소리 내어) 웃다

4 Food

□ favorite	a. 가장 좋아하는
□ dessert	n. 후식
□ almost	ad. 거의
□ flavor	n. 맛
□ lots of	많은
□ try	v. ~을 시도하다
□ visit	v. ~을 방문하다
□ invent	v. ~을 발명하다, 개발하다
□ tongue	n. 혀
□ turn	v. (~한 상태로) 변하다, 되다
□ popular	a. 유명한
□ according to	~에 따르면
□ used to	~이었다, ~하곤 했다
□ create	v. ~을 창조하다
□ in memory of	~을 기념하여, ~을 기억하려고
□ would like to	~하고 싶다

Humor

Animals

People

Health

Humor

Our teacher, Ms. Johnson, read "Chicken Little" to our class today. In the story, an acorn fell on Chicken Little's head. (①) The silly chicken thought the sky was falling down. He ran here and there to warn
5 everyone. (②) Chicken Little warned the farmer. "The sky is falling! The sky is falling!" Ms. Johnson read with a funny voice. (③) Then she put the book down and asked, "Now, everyone, what do you think the farmer said next?" (④) My friend, Jack raised his hand
10 and said, "Wow! A talking chicken!" (⑤)

*acorn 도토리

1 윗글의 내용과 일치하면 T, 그렇지 않으면 F를 쓰시오.

(1) Johnson 선생님께서 학생들에게 책을 읽어 주셨다. _____

(2) Chicken Little은 하늘이 무너진다고 생각했다. _____

(3) Johnson 선생님은 학생들에게 감상문을 작성하게 했다. _____

2 글의 흐름으로 보아 주어진 문장이 들어갈 위치로 가장 알맞은 곳은?

> After his answer, she couldn't read any more.

①   ②   ③   ④   ⑤

어휘 충전

read v. _____	fall v. _____	silly a. _____
here and there _____	warn v. _____	funny a. _____
put v. _____	next ad. _____	raise v. _____
any more _____		

Elephants in cartoons are always scared of mice. It's funny to see a big elephant scared of a tiny mouse. But is it true? Actually, no. Elephants aren't scared of mice. But they are scared of something much smaller. They are scared of bees! Why? Because a bee
5 sting is very painful. Bees sting elephants in their eyes, mouth, and trunk. And swarming bees can kill baby elephants. So, elephants run away from angry bees. That's why some farmers use loudspeakers. They play swarming bee sounds through them. The sound
10 scares hungry elephants and keeps them away from the crops.

*trunk (코끼리의) 코

1 윗글의 내용과 일치하지 <u>않는</u> 것은?

① 코끼리는 쥐를 무서워하지 않는다.

② 벌은 코끼리의 눈이나 입, 코에 벌침을 쏜다.

③ 떼 지어 다니는 벌들은 새끼 코끼리를 죽일 수도 있다.

④ 벌과 코끼리는 서로를 무서워한다.

⑤ 농작물 피해 방지에 벌떼 소리를 이용할 수 있다.

서술형
2 윗글에서 코끼리가 벌을 무서워하는 이유를 찾아 우리말로 쓰시오.

_____

cartoon n. _____	scare v. _____	tiny a. _____
true a. _____	actually ad. _____	sting n. _____ v. _____
painful a. _____	swarm v. _____	run away _____
loudspeaker n. _____	sound n. _____	through prep. _____
keep A away from B _____		crop n. _____

어휘 충전

3

People

Silva is a teenager from Brazil. She dreamed of becoming a supermodel. She hoped and prayed to grow taller. And she was lucky! She grew very quickly. She kept growing taller and taller. When she was 14, she was already over 2 meters tall. And Silva kept on growing, until she couldn't

5 even stand up inside her house. (too, a fashion model, she, to, was, be, tall). Whenever she went to the modeling agency, they told her "no." No designers wanted her to model their clothes. She was disappointed but never gave up. _____, she achieved her dream when she modeled in fashion shows. She is the world's tallest girl. And she's also

10 the world's tallest fashion model!

어휘 충전

teenager n. _____	dream of _____	hope v. _____
pray v. _____	grow v. _____	quickly ad. _____
keep v. _____	already ad. _____	until conj. _____
stand up _____	inside prep. _____	model n. _____ v. _____
whenever conj. _____	agency n. _____	disappoint v. _____
give up _____	achieve v. _____	

1 윗글의 제목으로 가장 알맞은 것은?

① A New Designer in the Fashion Show

② Differences between Dream and Reality

③ The Surprising Fashion Show in the World

④ The Difficulty of Becoming a Supermodel

⑤ The Tallest Girl Who Achieved Her Dream

2 윗글의 ( ) 안에 주어진 단어를 우리말과 같은 뜻이 되도록 배열하시오.

> 그녀는 키가 너무 커서 패션모델이 될 수 없었다.

_____

3 윗글의 빈칸에 들어갈 말로 가장 알맞은 것은?

① At first   ② Finally   ③ Already

④ Now   ⑤ Yet

Elisany Silva는 전 세계에서 가장 키가 큰 십 대 소녀이다. 그녀는 11살 때부터 키가 1년에 15cm 이상씩 자랐고, 14세에는 206cm가 되었다. 하지만 그녀는 갑작스러운 성장으로 다리와 관절의 극심한 통증을 겪었다. 결국 뇌하수체종양으로 인한 거인증(Gigantism)으로 진단되어 수술을 받았지만, 키가 1인치(2.54cm) 정도 줄어드는 데 그쳤다.
Silva는 큰 키로 인해 스쿨버스를 탈 수 없었고, 친구들의 괴롭힘으로 인해 학교를 그만둬야 했다. 이처럼 그녀는 힘든 생활을 했다.

4

Health

Doctors of oriental medicine usually look carefully at your hands. Why do they do this? Because your hands can show the condition of your health. What exactly can your hands

5 tell a doctor? Let's take a look. First, let's look at your fingers. Do they seem bigger than usual? It could mean that you ate too much salty food recently. However, if you didn't, then maybe there's something wrong with your thyroid gland. Next, let's take a look at your fingernails.

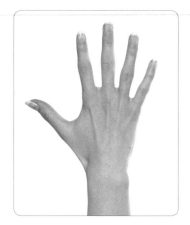

10 Healthy fingernails are smooth, even, and pink. If your fingernails are yellow and too thick, it can mean there's a disease in your lungs. And fingernails with dark-colored tips can mean you have diabetes. Look at your hands every day. They are great <u>friends</u> when it comes to your health.

*thyroid gland 갑상선 *diabetes 당뇨병

어휘 충전

oriental medicine _____	usually ad. _____	look at _____
carefully ad. _____	condition n. _____	take a look _____
seem v. _____	usual a. _____	mean v. _____
salty a. _____	recently ad. _____	if conj. _____
fingernail n. _____	smooth a. _____	even a. _____
thick a. _____	disease n. _____	lung n. _____
dark-colored a. _____	tip n. _____	when it comes to A _____

1 윗글의 제목으로 가장 알맞은 것은?

① Amazing Oriental Medicine

② Hands That Tell Your Health

③ Healthy Hands, Healthy Habits

④ How to Keep Your Hands Clean

⑤ The Difficulty of Checking Your Health

2 손에 관한 윗글의 내용과 일치하지 <u>않는</u> 것은?

① 동양의학에서는 손으로 건강을 확인할 수 있다.

② 손가락이 평소보다 커 보인다면 짠 음식을 많이 먹었기 때문일 수도 있다.

③ 갑상선에 이상이 있으면 손가락이 커질 수도 있다.

④ 건강한 손톱은 매끄럽고 분홍색이다.

⑤ 손톱 끝이 노란색이면 당뇨병을 앓고 있을 수 있다.

서술형
3 윗글에서 밑줄 친 <u>friends</u>가 의미하는 것을 찾아 영어로 쓰시오.

_____

 이미지 맵 글을 읽고, 빈칸을 완성하시오.

You ate too much
(3)_____ food.

Your hands seem bigger than (2)_____.

There'll be something wrong with your thyroid gland.

Title: (1)_____
_____

Your fingernails are yellow and too thick.

There'll be a
(4)_____ in your lungs.

You have fingernails with (5)_____ tips.

You'll have diabetes.

Review Test

1

Humor

A 다음 중 단어의 정의가 <u>잘못된</u> 것은?

① raise: to lift or move something to a high position

② funny: giving a lot of energy to something

③ warn: to tell about possible danger or trouble

④ silly: showing a lack of thought or understanding

⑤ fall: to come or go down quickly from a high place

B 우리말과 일치하도록 〈보기〉에서 단어를 골라 문장을 완성하시오.

> 보기   read   here and there   next   put

1 _____ your belongings on the table. 테이블 위에 소지품을 놓으세요.

2 The _____ train to Chicago is at eleven. 시카고행 다음 기차는 11시입니다.

3 Empty bottles were rolling _____ on the street.
빈 병들이 거리 여기저기에서 굴러다니고 있다.

4 I usually _____ books at night, but I watched a movie last night.
나는 보통 밤에 책을 읽지만, 어젯밤에는 영화를 봤다.

2

Animals

A 밑줄 친 단어와 <u>반대되는</u> 의미의 단어를 고르시오.

1 My son gripped my finger with his <u>tiny</u> hand.

　① few 　　② micro 　　③ little 　　④ small 　　⑤ giant

2 I don't believe the rumor is <u>true</u>.

　① right 　　② correct 　　③ genuine 　　④ wrong 　　⑤ honest

B 주어진 뜻에 알맞은 단어를 〈보기〉에서 찾아 쓰시오.

> 보기   cartoon   scare   painful   swarm   crop

1 causing someone pain _____

2 to frighten or worry someone _____

3 to move or fly in a large group _____

4 the cultivated produce of the ground _____

5 a humorous drawing in a newspaper or magazine _____

3 People

A 다음 중 단어의 정의가 <u>잘못된</u> 것은?

① quickly: with speed, very soon

② disappoint: to turn out to be successful

③ give up: to stop trying to do something

④ hope: to want something to be true or happen

⑤ achieve: to succeed in doing what you planned

B 우리말과 일치하도록 〈보기〉에서 단어를 골라 문장을 완성하시오.

> 보기 already   keep   until   never

1 I _____ had lunch before noon. 나는 이미 정오 전에 점심을 먹었다.

2 Practice the song _____ you're good at it. 능숙할 때까지 그 곡을 연습해라.

3 Peter _____ looks at me with a smile. Peter는 절대 웃으면서 나를 바라보지 않는다.

4 He has to _____ working for his family. 그는 그의 가족을 위해서 계속 일해야만 한다.

4 Health

A 밑줄 친 단어와 비슷한 의미의 단어를 고르시오.

1 He is an expert on <u>oriental</u> architecture.

① western   ② original   ③ eastern   ④ practical   ⑤ professional

2 Did she change her address <u>recently</u>?

① lately   ② frequently   ③ already   ④ temporarily   ⑤ briefly

B 우리말과 일치하도록 〈보기〉에서 단어를 골라 문장을 완성하시오.

> 보기 condition   mean   smooth   disease

1 What does this article _____? 이 기사는 무슨 뜻인가요?

2 The new blanket has a _____ surface. 새 담요는 표면이 부드럽다.

3 After the surgery, the man's _____ has improved. 수술 후에 남자의 상태가 나아졌다.

4 Tom had heart _____ when he was a little boy. Tom은 어렸을 때 심장병을 앓았다.

어휘 재충전

1 Humor

□ read	v. ~을 읽다
□ fall	v. 떨어지다
□ silly	a. 어리석은
□ here and there	여기저기에
□ warn	v. 경고하다
□ funny	a. 우스운
□ put	v. 놓다
□ next	ad. 다음에
□ raise	v. 올리다
□ any more	더 이상

2 Animals

□ cartoon	n. 만화
□ scare	v. ~을 겁나게 하다
□ tiny	a. 아주 작은
□ true	a. 사실인, 진실의
□ actually	ad. 실제로
□ sting	n. 찌르기, 침 v. 찌르다, 쏘다
□ painful	a. 고통스러운
□ swarm	v. 떼를 지어 다니다
□ run away	도망치다
□ loudspeaker	n. 확성기
□ sound	n. 소리
□ through	prep. ~을 통과하여
□ keep A away from B	B에게서 A를 숨기다, 멀리하다
□ crop	n. 작물

3 People

□ teenager	n. 10대
□ dream of	~을 꿈꾸다
□ hope	v. 바라다
□ pray	v. 기도하다
□ grow	v. 자라다
□ quickly	ad. 빨리
□ keep	v. 계속 ~하게 하다
□ already	ad. 이미, 벌써
□ until	conj. ~할 때까지
□ stand up	일어서다
□ inside	prep. ~의 안에
□ model	n. 모델 v. 입어 보이다
□ whenever	conj. ~할 때마다
□ agency	n. 대행회사
□ disappoint	v. 실망하다
□ give up	포기하다
□ achieve	v. 이루다, 달성하다

4 Health

□ oriental medicine	동양 의학
□ usually	ad. 대개
□ look at	~을 보다
□ carefully	ad. 주의 깊게, 신중히
□ condition	n. 상태
□ take a look	살피다, 보다
□ seem	v. ~인 것 같이 보이다
□ usual	a. 평소의
□ mean	v. 의미하다
□ salty	a. 짠, 짭짤한
□ recently	ad. 최근에
□ if	conj. 만약 ~한다면
□ fingernail	n. 손톱
□ smooth	a. 매끄러운
□ even	a. 평평한, 고른
□ thick	a. 두꺼운
□ disease	n. 질병
□ lung	n. 폐
□ dark-colored	a. 거무스름한
□ tip	n. 끝, 끝 부분
□ when it comes to A	A에 관한 한

Chapter

03

People

Health

World-Famous

Places

People

It was a Friday evening in Tokyo in January, 2001. A young Korean man waited for a train on a crowded subway platform. His name was Lee Soo Hyun. Suddenly, an old man fell

5 down onto the tracks. Lee immediately jumped down to help the man. But it was too late. The train hit the two men and killed them both. The brave young Korean became famous. His sad story touched the hearts of all Koreans and Japanese. Ten years later, Korea's President and Japan's Prime Minister attended national memorial ceremonies. They said we

10 must honor Lee by building bridges of friendship. _____ Lee Soo Hyun.

1 윗글의 빈칸에 들어갈 말로 가장 알맞은 것은?

① Don't remember   ② Let's never forget
③ Let's not make fun of   ④ Don't worry about
⑤ Let's say no more about

2 윗글의 내용과 일치하면 **T**, 그렇지 않으면 **F**를 쓰시오.

(1) 사고는 2001년 1월 일본에서 발생했다.   _____
(2) 이수현은 사망했지만, 선로에 떨어진 노인은 목숨을 건졌다.   _____
(3) 이수현은 한국의 대통령과 일본의 총리에게 상을 받았다.   _____

wait for _____	crowded a. _____	platform n. _____
suddenly ad. _____	fall down _____	track n. _____
immediately a. _____	jump down _____	brave a. _____
touch v. _____	president n. _____	Prime Minister n. _____
attend v. _____	national a. _____	memorial a. _____
ceremony n. _____	honor v. _____	build v. _____
bridge n. _____	friendship n. _____	forget v. _____
make fun of _____		

Do you wash your hair every day? Do you think people should wash their hair every day? Me? I love to shampoo every day, but how about other people? According to an American shampoo
5 maker's research, Americans wash their hair about five times a week. Europeans do it less often, about two to three times a week. Is it good to shampoo every day? Some hair care experts say, "No!" According to them, washing your hair too often removes natural oils. The natural oils in your hair help to keep it shiny and healthy. So,
10 shampooing? Less is more! Great! Let's be a little more lazy for our hair.

1 윗글의 요지로 가장 알맞은 것은?

① 환경 보호를 위해 샴푸의 사용을 줄여야 한다.

② 머리를 자주 감는 것은 모발 건강에 좋지 않다.

③ 머리에서 나오는 자연적인 기름을 제거해야 한다.

④ 건강한 모발을 위해 전문가의 관리를 받아야 한다.

⑤ 미국 사람들은 유럽 사람들보다 청결하다.

서술형
2 윗글의 내용과 일치하도록 빈칸에 알맞은 말을 쓰시오.

The natural oils make your hair _____ and _____.

wash v. _____	hair n. _____	shampoo v. _____
according to _____	maker n. _____	research n. _____
European n. _____	less ad. _____	often ad. _____
care n. _____	expert n. _____	remove v. _____
natural a. _____	keep v. _____	shiny a. _____
healthy a. _____	lazy a. _____	

어휘 충전

3

World-Famous

Most people don't have a world record. It's not easy to achieve. But Ashrita Furman is a special man. He has more Guinness World Records than anyone else alive. He set his first world record when he was 24. He did 27,000 jumping jacks without stopping. And he walked 130
5 kilometers with a milk bottle on his head. Also, he translated a poem in 111 languages in 24 hours. Now he is 60 years old. In total, he has 480 world records, and he keeps making more. Why does he keep doing it? There's a hint on his website. It says, "How can you be satisfied with small realities if your heart has big dreams? You should never give up."

*jumping jack 팔 벌려 뛰기

어휘 충전

world record _____	achieve v. _____	special a. _____
alive a. _____	set v. _____	without prep. _____
bottle n. _____	translate v. _____	poem n. _____
language n. _____	in total _____	hint n. _____
website n. _____	be satisfied with _____	reality n. _____
give up _____		

1 윗글의 제목으로 가장 알맞은 것은?

① The World Record Breaker

② The Funniest World Record

③ How to Achieve World Records

④ The History of Guinness World Records

⑤ Publishing the Guinness Book of Records

2 Ashrita Furman에 관한 윗글의 내용과 일치하는 것은?

① 생존해 있는 사람 중 가장 빨리 먹는 세계 기록을 가지고 있다.

② 24시간 안에 111개의 시를 썼다.

③ 60세가 되던 해에 마지막 세계 기록을 세우고 중단했다.

④ 480개의 세계 기록을 가지고 있다.

⑤ 현실에 만족하며 살라고 충고한다.

3 윗글에서 밑줄 친 it이 의미하는 것을 찾아 우리말로 쓰시오.

_____

Guinness World Records (기네스 세계 기록)

〈기네스 세계 기록〉은 사람의 업적과 자연 세계의 모든 분야에서의 세계 기록을 기술한 책이다. 맥주 회사인 기네스 사가 최고 기록만을 모아 해마다 출간하는 참고류 도서이다. 처음에는 〈The Guinness Book of Records〉라는 이름으로 출간되었으나, 지금은 〈Guinness World Records〉라는 이름으로 출간되고 있다. 이 책은 Hugh Beaver (휴 비버)가 유럽에서 가장 빠른 새가 무엇인지에 대해 논쟁을 벌인 뒤, 이런 사소한 사안에 관한 특이한 기록을 모아 놓는 책이 훌륭한 사업이 될 수 있다고 생각하면서 탄생하게 되었다. 심오한 학문 영역에서부터 일상생활사에 이르기까지 수천 항목에 걸친 광범위한 기록을 수록했다. 이 책은 책 자체도 하나의 기록으로 세계에서 가장 많이 팔리는 연속 출간물이라는 기록을 가지고 있다. 때때로 이 책에 실린 기록을 깨기 위해 위험을 무릅쓰다가 사고를 일으키는 일이 빈발하여 편집인이 경고를 받기도 하였다.

4

Places

Can you imagine living under a giant shelf of rock? There is an amazing village in Spain. The village is called Setenil de Las Bodegas. (①) What's amazing about it? It is under a giant shelf of rock. The giant shelf looks like it will fall down and crush the village. (②) It's quite

5 safe. In fact, that's why Christians first came here. Around 2,000 years ago, Christians needed to hide because Romans wanted to kill them. They found this place and felt safe. (③) Since that time, Setenil de Las Bodegas has grown into a permanent village. There are houses and shops right under the rock. People live there. The roofs and back walls of their

10 houses are a part of the rock. (④) Setenil de Las Bodegas is a popular tourist destination. (⑤) It's truly amazing to see.

*shelf 선반 모양의 돌

1 **Setenil de Las Bodegas에 관한 윗글의 내용과 일치하지 <u>않는</u> 것은?**

① 스페인에 위치해 있다.

② 기독교인들이 처음 정착했다.

③ 암석 바로 아래에 집과 상점이 있다.

④ 실제로는 사람이 살지 않는다.

⑤ 인기 있는 관광지이다.

어휘 충전

imagine v.＿＿＿＿	giant a.＿＿＿＿	rock n.＿＿＿＿
amazing a.＿＿＿＿	village n.＿＿＿＿	look like ＿＿＿＿
fall down ＿＿＿＿	crush v.＿＿＿＿	quite ad.＿＿＿＿
safe a.＿＿＿＿	Christian n.＿＿＿＿	hide v.＿＿＿＿
grow into ＿＿＿＿	permanent a.＿＿＿＿	roof n.＿＿＿＿
wall n.＿＿＿＿	popular a.＿＿＿＿	tourist destination ＿＿＿＿
truly ad.＿＿＿＿		

2 글의 흐름으로 보아 주어진 문장이 들어갈 위치로 가장 알맞은 곳은?

> But don't worry.

①   ②   ③   ④   ⑤

3 윗글에서 기독교인이 Setenil de Las Bodegas로 오게 된 이유로 언급된 것은?

① 인적이 드물고 조용했기 때문에

② 고대 로마인이 그 마을에 살고 있었기 때문에

③ 세계에서 잘 알려진 유명한 관광지였기 때문에

④ 휴양지로 개발하기 좋은 장소라고 생각했기 때문에

⑤ 고대 로마인을 피해 숨을 곳이 필요했기 때문에

이미지 맵 글을 읽고, 빈칸을 완성하시오.

It is (2)_____ a giant shelf of rock.

Title: An (1)_____ Village in Spain

It was first found by (3)_____.

It is a popular (4)_____ _____.

1

People

A 다음 중 단어의 정의가 <u>잘못된</u> 것은?

① suddenly: slowly and expectedly

② subway: an underground railway

③ crowded: full of people in one place

④ brave: capable of dealing with danger or pain

⑤ memorial: made in order to remind people of someone who has died

B 우리말과 일치하도록 〈보기〉에서 단어를 골라 문장을 완성하시오.

> 보기   touched   waited   fell   attended

1 A girl _____ for the school bus. 한 소녀가 스쿨버스를 기다렸다.

2 They _____ ski camp during the vacation. 그들은 방학 동안 스키 캠프에 참가했다.

3 My brother _____ down in the playground. 나의 남동생은 운동장에서 넘어졌다.

4 The book _____ the hearts of many students. 그 책은 많은 학생에게 감동을 주었다.

2

Health

A 밑줄 친 단어와 비슷한 의미의 단어를 고르시오.

1 The natural oils keep your hair <u>shiny</u>.

① skinny   ② brown   ③ bright   ④ shy   ⑤ soft

2 I <u>wash</u> my hair every day.

① watch   ② touch   ③ cut   ④ clean   ⑤ dry

B 주어진 뜻에 알맞은 단어를 〈보기〉에서 찾아 쓰시오.

> 보기   expert   less   remove   often   keep

1 to take something away   _____

2 a smaller amount of something   _____

3 many times or in many cases   _____

4 a person who has a special skill   _____

5 to remain in a particular condition   _____

3

World-Famous

A 밑줄 친 단어와 반대되는 의미의 단어를 고르시오.

1 He is the richest man <u>alive</u>.

① afraid   ② dead   ③ ancient   ④ gloomy   ⑤ asleep

2 I made a <u>special</u> dinner for my parents.

① famous   ② different   ③ normal   ④ popular   ⑤ important

B 주어진 뜻에 알맞은 단어를 〈보기〉에서 찾아 쓰시오.

> 보기   translate   bottle   record   poem   reality

1 a glass or plastic container   _____

2 what actually happens or is true   _____

3 a piece of writing which uses rhymes   _____

4 to change words into another language   _____

5 the best result in a particular sport or activity   _____

4

Places

A 다음 중 단어의 정의가 잘못된 것은?

① giant: extremely big

② amazing: very surprising

③ quite: a small amount of noise

④ village: a small town in the countryside

⑤ crush: to press something very hard

B 우리말과 일치하도록 〈보기〉에서 단어를 골라 문장을 완성하시오.

> 보기   safe   wall   imagine   permanent

1 It's not _____ to swim here. 여기서 수영을 하는 것은 안전하지 않다.

2 I can't _____ life without computers. 나는 컴퓨터가 없는 삶은 상상할 수가 없다.

3 The _____ of the old house will fall down soon. 그 오래된 집의 벽은 곧 무너질 것이다.

4 They don't have a _____ solution to the problem.
그들에게는 그 문제에 대한 영구적인 해결책이 없다.

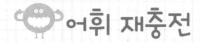

어휘 재충전

1 People

☐ wait for	~을 기다리다
☐ crowded	a. 붐비는, 복잡한
☐ platform	n. (기차역의) 플랫폼
☐ suddenly	ad. 갑자기, 불현듯
☐ fall down	쓰러지다, 넘어지다
☐ track	n. (기차) 선로
☐ immediately	a. 즉시, 바로
☐ jump down	뛰어내리다
☐ brave	a. 용감한
☐ touch	v. 감동시키다
☐ president	n. 대통령
☐ Prime Minister	n. 국무총리, 수상
☐ attend	v. ~에 참석하다
☐ national	a. 국가의
☐ memorial	a. 기념하기 위한, 추도의
☐ ceremony	n. 의식, 식
☐ honor	v. 존경하다, 예우하다
☐ build	v. 짓다, 건설하다
☐ bridge	n. (~의 사이를 이어주는) 가교, 다리
☐ friendship	n. 친선, 우정
☐ forget	v. 잊다
☐ make fun of	~을 놀리다

2 Health

☐ wash	v. 씻다
☐ hair	n. 머리카락
☐ shampoo	v. (머리를 샴푸로) 감다
☐ according to	~에 따르면
☐ maker	n. 제조회사
☐ research	n. 연구, 조사
☐ European	n. 유럽인
☐ less	ad. 더 적게
☐ often	ad. 자주
☐ care	n. 관리, 보살핌
☐ expert	n. 전문가
☐ remove	v. 없애다, 제거하다
☐ natural	a. 자연의, 천연의
☐ keep	v. 유지하다
☐ shiny	a. 빛나는
☐ healthy	a. 건강한
☐ lazy	a. 게으른

3 World-Famous

☐ world record	세계 기록
☐ achieve	v. 달성하다, 성취하다
☐ special	a. 특별한
☐ alive	a. 살아있는
☐ set	v. 세우다, 만들다
☐ without	prep. ~ 없이
☐ bottle	n. 병
☐ translate	v. 번역하다
☐ poem	n. 시
☐ language	n. 언어
☐ in total	통틀어, 전체로서
☐ hint	n. 암시, 힌트
☐ website	n. 웹사이트
☐ be satisfied with	~에 만족하다
☐ reality	n. 현실
☐ give up	포기하다

4 Places

☐ imagine	v. 상상하다
☐ giant	a. 거대한
☐ rock	n. 바위, 암석
☐ amazing	a. 놀라운
☐ village	n. 마을
☐ look like	~처럼 보이다
☐ fall down	무너지다, 떨어지다
☐ crush	v. 으스러뜨리다
☐ quite	ad. 꽤, 상당히
☐ safe	a. 안전한, 안심할 수 있는
☐ Christian	n. 기독교인
☐ hide	v. 숨다
☐ grow into	(성장하여) ~이 되다
☐ permanent	a. 영구적인
☐ roof	n. 천장, 지붕
☐ wall	n. 벽
☐ popular	a. 인기 있는
☐ tourist destination	관광지
☐ truly	ad. 정말로, 진심으로

Entertainment

Life

Information

Places

Entertainment

Do you have a dog? Then you may know that he feels sad and depressed when you leave him at home. How can you make him feel better when you're not

5 there with him? DOGTV is the answer for you. DOGTV is a TV channel made specially for dogs. (①) It was created by animal experts. (②) They understand dogs very well. (③) They know that dogs like certain sounds. (④) So DOGTV plays these sounds and pictures all day, and it seems to work very well. (⑤) When dogs watch DOGTV, they

10 aren't so sad even though their owners are away. What a good idea!

1 DOGTV에 관한 윗글의 내용과 일치하지 <u>않는</u> 것은?

① DOGTV는 개를 위한 텔레비전 채널이다.
② DOGTV는 동물 전문가들에 의해 만들어졌다.
③ DOGTV는 하루 종일 개가 좋아하는 소리를 들려준다.
④ DOGTV는 개 주인의 사진을 보여 준다.
⑤ DOGTV를 만든 사람들은 개에 관해 매우 잘 알고 있다.

2 글의 흐름으로 보아 주어진 문장이 들어갈 위치로 가장 알맞은 곳은?

> And they also know that dogs like certain images, too.

①   ②   ③   ④   ⑤

어휘 충전

depressed a. _____   leave v. _____   channel n. _____
specially ad. _____   create v. _____   expert n. _____
understand v. _____   certain a. _____   sound n. _____
owner n. _____   be away _____   image n. _____

2

Life

How many hours a day do you spend outside? Probably, not much. Nowadays, many of us spend too much time indoors. We're busy at school. We're busy studying and doing homework at home. When we have free time, we watch TV, play on our computers, or lie on the couch.

5 This is not good. It can make you fat and unfit. And what's worse, it can even make you sad and depressed. More and more studies show that it is important to play outside. Being outside in nature reduces stress. Also, it makes you feel more energetic and creative. Moreover, kids who spend more time

10 playing outdoors in nature get higher grades. Awesome! Let's go and play outside!

1 윗글의 주제로 가장 알맞은 것은?

① the danger of outdoor sports

② the need for regular exercise

③ the best way to relieve stress

④ the importance of outdoor activities

⑤ special outdoor activities around the world

2 윗글에서 야외 활동의 이점으로 언급된 것이 <u>아닌</u> 것은?

① 스트레스를 줄여 준다.　② 활동적으로 만들어 준다.　③ 창의적으로 만들어 준다.

④ 자신감을 키워 준다.　⑤ 성적을 향상시켜 준다.

spend v. _____	outside ad. _____	probably ad. _____
indoors ad. _____	couch n. _____	fat a. _____
unfit a. _____	important a. _____	nature n. _____
reduce v. _____	energetic a. _____	creative a. _____
moreover ad. _____	outdoors ad. _____	grade n. _____
awesome a. _____		

어휘 충전

3

Information

Are you good at math? If not, try chocolate! Recently, British researchers did a study of chocolate and students. There were two groups of students. The first group drank hot chocolate. The second group drank tea.

5 After drinking, the students solved math problems. The results showed that one group did much better than the other. The first group solved the math problems faster and got higher scores. How did the chocolate help? According to the studies, chocolate helps blood flow in the brain. As a result, the brain works better and

10 doesn't get tired easily. However, before you start eating chocolate, remember one more thing. Only dark chocolate is good for you. Milk chocolate, on the other hand, is not so good. It has too much sugar.

math n. _____	chocolate n. _____	British a. _____
researcher n. _____	drink v. _____	tea n. _____
solve v. _____	problem n. _____	result n. _____
score n. _____	according to _____	blood n. _____
flow v. _____	brain n. _____	as a result _____
tired a. _____	remember v. _____	on the other hand _____

1 윗글의 주제로 가장 알맞은 것은?

① 초콜릿의 기원　　　　　　　　　② 초콜릿이 뇌에 미치는 영향

③ 초콜릿과 차의 상관관계　　　　　④ 초콜릿 과다 섭취로 인한 비만 인구 증가

⑤ 초콜릿의 과도한 설탕 함유율

2 윗글의 내용과 일치하면 **T**, 그렇지 않으면 **F**를 쓰시오.

(1) 핫 초콜릿을 마신 학생들이 더 높은 점수를 받았다.　　　＿＿＿＿＿

(2) 초콜릿은 뇌의 혈액 순환을 돕는다.　　　　　　　　　　＿＿＿＿＿

(3) 다크 초콜릿에는 많은 설탕이 들어 있다.　　　　　　　　＿＿＿＿＿

3 윗글의 빈칸에 들어갈 말로 가장 알맞은 것은?

① Let's spend more time on math!

② Let's eat more fruits and vegetables!

③ Study hard and you'll get higher scores.

④ Let's eat dark chocolate and do better at math!

⑤ You'll get tired if you eat more dark chocolate.

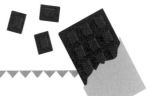

초콜릿의 원료가 되는 카카오 열매는 원래 쓴맛이 나지만, 사람들의 기호에 따라 설탕, 우유 등을 첨가하여 단맛이 나는 밀크 초콜릿이 탄생했다. 카카오 열매 자체의 지방 함량이 높아 비만의 원인이 된다는 우려가 있지만 초콜릿에는 사람들이 생각하는 것보다 몸에 좋은 효능이 많이 있다. 초콜릿은 적당히 먹는다면 오히려 건강에 이로운 식품이다. 초콜릿이 우리 몸에 끼치는 몇 가지 효능은 다음과 같다.

첫째, 초콜릿의 '페닐에틸아민' 성분은 정신을 안정시키고 집중력을 높여 주며, 탄수화물의 흡수를 도와 두뇌 회전에 도움을 준다.

둘째, 초콜릿의 '폴리페놀' 성분은 질병 예방에 매우 효과적으로, 동맥경화, 암, 심장 질환을 예방해 준다.

셋째, 초콜릿의 '카페인'과 '테오브로민'은 뇌 활동을 활발하게 하여 피로감과 스트레스를 덜어주고 집중력을 향상시켜 준다.

4

Places

Do you want to be happy? Think of a time when you felt really happy. Probably, you're on vacation then. One of people's favorite vacation places in the world is Costa Rica. People not only love to visit but they
5 also love to live there. It's because Costa Rica is such a beautiful and happy place. It has amazing beaches, forests, and wildlife. That's why the Spanish named it "Costa Rica," when they conquered it. It means "Rich Coast." However, this Central American country is not rich in money. Instead, it is rich in beautiful nature and happy people. In fact,
10 according to the "Happy Planet Index," it's the happiest country in the world. This international survey found that Costa Ricans are the happiest people and enjoy the longest lives on earth. It seems that money isn't everything, since most Costa Ricans are quite poor. They are famous for smiling and saying "pura vida." It means "pure life." Would you like to take a
15 trip to Costa Rica and try the pure life there?

vacation n. _____
beach n. _____
name v. _____
rich a. _____
enjoy v. _____
pure a. _____

favorite a. _____
forest n. _____
conquer v. _____
international a. _____
nevertheless ad. _____
take a trip _____

place n. _____
wildlife n. _____
mean v. _____
survey n. _____
be famous for _____

1 윗글의 제목으로 가장 알맞은 것은?

① The Happiest Place on Earth

② How to Plan an Amazing Vacation

③ The Connection between Wealth and Happiness

④ Favorite Vacation Places around the World

⑤ The Most Famous Tourist Attraction in Central America

2 윗글에서 언급된 내용이 <u>아닌</u> 것은?

① 코스타리카는 세계에서 가장 선호되는 휴가 장소 중 하나이다.

② 코스타리카에는 아름다운 해변과 야생 동물이 많다.

③ 코스타리카 사람 대부분은 경제적으로 풍요롭지 않다.

④ 코스타리카로 이민을 가는 인구수가 늘어나고 있다.

⑤ 코스타리카 사람들은 오래 산다.

서술형

3 윗글에서 밑줄 친 <u>Costa Rica</u>의 의미를 찾아 영어로 쓰시오.

_____

이미지 맵 글을 읽고, 빈칸을 완성하시오.

It is one of people's favorite (2)_____ places in the world.

Title: (1)_____
_____

It means "(3)_____."

It was (4)_____ by the Spanish.

It is (5)_____ in beautiful nature and happy people.

Review Test

1 Entertainment

A 다음 중 단어의 정의가 잘못된 것은?

① depressed: sad and unpleasant

② sound: something that you hear

③ create: to cause something to exist

④ leave: to come to a particular place

⑤ owner: the person to whom something belongs

B 우리말과 일치하도록 〈보기〉에서 단어를 골라 문장을 완성하시오.

> 보기 leave   expert   specially   understand

1 Chris is not a(n) _____ in this field. Chris는 이 분야의 전문가가 아니다.

2 I can't _____ why she is so sensitive. 나는 그녀가 왜 그렇게 민감한지 이해할 수 없다.

3 She should _____ home earlier to catch the train.
그녀는 기차를 타기 위해 좀 더 일찍 집에서 나가야 한다.

4 The building was _____ designed for people with disabilities.
그 건물은 장애인을 위해 특별히 설계되었다.

2 Life

A 밑줄 친 단어와 반대되는 의미의 단어를 고르시오.

1 Your friend is waiting for you outside.

① into   ② beside   ③ outdoors   ④ small   ⑤ indoors

2 What can we do to reduce food waste?

① increase   ② decrease   ③ involve   ④ lessen   ⑤ produce

B 주어진 뜻에 알맞은 단어를 〈보기〉에서 찾아 쓰시오.

> 보기 awesome   spend   grade   nature   couch

1 a long and comfortable seat   _____

2 very impressive and very good   _____

3 to use your time or effort doing something   _____

4 the mark that indicates your level of achievement   _____

5 all the animals, plants, and other things that aren't made by people   _____

3

Information

A 다음 중 단어의 정의가 <u>잘못된</u> 것은?

① solve: to find a solution or an answer

② blood: red liquid that flows inside your body

③ flow: to move continuously in one direction

④ chocolate: a sweet hard food made from cocoa beans

⑤ result: a fact which explains why something happens

B 우리말과 일치하도록 〈보기〉에서 단어를 골라 문장을 완성하시오.

[보기]   score   problem   drink   fat   tea

1 I _____ coffee as soon as I get up. 나는 일어나자마자 커피를 마신다.

2 The final _____ of the game was 3-0. 그 경기의 최종 점수는 3대 0이었다.

3 It is difficult for students to solve this _____. 학생들이 이 문제를 풀기는 어렵다.

4 Drinking _____ in the afternoon is his habit. 오후에 차를 마시는 것은 그의 습관이다.

5 They avoid foods which are high in _____. 그들은 지방이 많이 함유된 음식은 피한다.

4

Places

A 밑줄 친 단어와 비슷한 의미의 단어를 고르시오.

1 It is the best <u>place</u> to take a rest during the vacation.

① building   ② direction   ③ spot   ④ condition   ⑤ appointment

2 There are lots of wild animals in the <u>forest</u>.

① woods   ② lake   ③ island   ④ mountain   ⑤ cave

B 우리말과 일치하도록 〈보기〉에서 단어를 골라 문장을 완성하시오.

[보기]   named   rich   vacation   wildlife

1 Oranges are _____ in Vitamin C. 오렌지는 비타민 C가 풍부하다.

2 Mark is interested in _____ conservation. Mark는 야생 동물 보호에 관심이 있다.

3 I can't check my email while I am on _____. 나는 휴가 중에는 이메일을 확인할 수 없다.

4 She _____ one of her twins Chloe. 그녀는 쌍둥이 중 한 명에게 Chloe라고 이름을 지어 주었다.

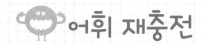
어휘 재충전

1 Entertainment

☐ depressed	a. 우울한
☐ leave	v. ~을 내버려두다, 떠나다
☐ channel	n. 채널
☐ specially	ad. 특별히
☐ create	v. 창안하다, 창조하다
☐ expert	n. 전문가
☐ understand	v. 이해하다
☐ certain	a. 특정한, 확실한
☐ sound	n. 소리
☐ owner	n. 주인
☐ be away	떨어져 있다
☐ image	n. 이미지, 상

2 Life

☐ spend	v. (시간을) 보내다
☐ outside	ad. 밖에서
☐ probably	ad. 아마도
☐ indoors	ad. 실내에서
☐ couch	n. 긴 의자, 소파
☐ fat	a. 뚱뚱한
☐ unfit	a. 건강하지 못한, 부적당한
☐ important	a. 중요한
☐ nature	n. 자연
☐ reduce	v. 줄이다
☐ energetic	a. 활동적인
☐ creative	a. 창의적인
☐ moreover	ad. 게다가, 더구나
☐ outdoors	ad. 야외에서
☐ grade	n. 성적
☐ awesome	a. 최고의, 엄청난

3 Information

☐ math	n. 수학
☐ chocolate	n. 초콜릿
☐ British	a. 영국의
☐ researcher	n. 연구원
☐ drink	v. 마시다
☐ tea	n. 차, 홍차
☐ solve	v. 해결하다
☐ problem	n. 문제
☐ result	n. 결과
☐ score	n. 점수
☐ according to	~에 따르면
☐ blood	n. 피, 혈액
☐ flow	v. 흐르다
☐ brain	n. 뇌
☐ as a result	결과적으로
☐ tired	a. 피곤한
☐ remember	v. 기억하다
☐ on the other hand	반면에

4 Places

☐ vacation	n. 방학, 휴가
☐ favorite	a. 가장 좋아하는
☐ place	n. 장소
☐ beach	n. 해변, 바닷가
☐ forest	n. 숲
☐ wildlife	n. 야생 동물, 야생 생물
☐ name	v. 이름을 지어주다
☐ conquer	v. 정복하다
☐ mean	v. 의미하다
☐ rich	a. 부유한, 풍요로운
☐ international	a. 국제적인
☐ survey	n. 조사
☐ enjoy	v. 즐기다
☐ nevertheless	ad. 그럼에도 불구하고
☐ be famous for	~로 유명하다
☐ pure	a. 순수한, 깨끗한
☐ take a trip	여행하다

Mysteries

Animals

Music

World-Famous

Mysteries

My grandmother believed in ghosts. She even believed that ghosts have a smell. (①) Some ghosts smell like fresh flowers. (②) It means they recently died. (③) Other ghosts smell bad.

5 (④) It means they are angry or sad. (⑤) And a familiar smell may be a ghost of someone you know. Grandma often smelled coffee in her house. But nobody else could smell it. She explained, "It's my daddy. He loved to drink coffee. That's how I know it's his ghost." Do you believe in ghosts? Have you ever smelled one?

1 글의 흐름으로 보아 주어진 문장이 들어갈 위치로 가장 알맞은 곳은?

> Here's what she told me.

①   ②   ③   ④   ⑤

2 윗글에서 다음 질문에 대한 답을 찾아 우리말로 쓰시오.

How did she know the ghost was her daddy?

_____

grandmother n.＿＿＿	believe v.＿＿＿	ghost n.＿＿＿
smell n.＿ v.＿	fresh a.＿＿＿	mean v.＿＿＿
recently ad.＿＿＿	die v.＿＿＿	familiar a.＿＿＿
nobody else ＿＿＿	explain v.＿＿＿	

Penguins live in small family groups within big
penguin colonies. They have to swim far away to
find food for their babies. There can be thousands
of babies in a penguin colony. All the babies look

5 the same. So how can penguins tell which babies
are theirs? How do they find their babies again? They don't use their
sense of sight. Instead, they use their sense of smell. Penguins can tell
their family members by their smell. This is how penguin families stay
together. More importantly, this is how penguins find a safe partner.
10 Family members should never mate with each other. Luckily, they can

_____.

*mate 짝짓기 하다

1 윗글의 내용과 일치하지 <u>않는</u> 것은?

① 펭귄은 큰 집단 안에서 작은 무리를 지어서 산다.
② 펭귄은 새끼의 먹이를 구하기 위해 멀리 가야 한다.
③ 펭귄의 새끼들은 모두 다르게 생겼다.
④ 펭귄은 자신의 새끼를 구별할 때 시각을 사용하지 않는다.
⑤ 펭귄은 가족 구성원을 구별할 수 있다.

2 윗글의 빈칸에 들어갈 말로 가장 알맞은 것은?

① move faster   ② live longer   ③ sleep well

④ look similar   ⑤ smell the difference

live v. _____	group n. _____	colony n. _____
far away _____	thousands of _____	same a. _____
tell v. _____	sense n. _____	sight n. _____
member n. _____	stay v. _____	together ad. _____
importantly ad. _____	safe a. _____	each other _____
luckily ad. _____	similar a. _____	difference n. _____

어휘 충전

3

Music

Rick Allen is the drummer for the hard rock band, Def Leppard. He is a very talented drummer. But there's something even more special about Rick. He has only one arm. Can you believe it? Rick lost his left arm in a car accident when he was 21. He was already Def Leppard's drummer
5 then, so it seemed like the end of the world to him. Rick thought he would never play the drums again. But his band mates would not let him go. They designed special drums for him. Rick had to play the drums with his feet and one arm, so he practiced eight hours a day. Finally, he could play very well. He played the drums on the band's next record. It
10 became the band's biggest-selling album. How awesome! Together, Rick and the band turned tragedy into _____.

*hard rock 전기 기타를 중심으로 한 강한 비트의 음악

drummer n. _____	talented a. _____	accident n. _____
seem like _____	never ad. _____	mate n. _____
let v. _____	design v. _____	practice v. _____
finally ad. _____	record n. _____	awesome a. _____
turn A into B _____	tragedy n. _____	failure n. _____
success n. _____	experience n. _____	

1 윗글의 Rick의 상황을 표현한 속담으로 가장 알맞은 것은?

① 가재는 게 편이다.

② 모난 돌이 정 맞는다.

③ 무쇠도 갈면 바늘이 된다.

④ 달면 삼키고 쓰면 뱉는다.

⑤ 닭 잡아먹고 오리발 내민다.

2 윗글의 내용과 일치하면 T, 그렇지 않으면 F를 쓰시오.

(1) Rick은 자동차 사고로 팔 한쪽을 잃었다. _____

(2) Rick은 사고 이후, 밴드 활동을 그만 두었다. _____

(3) Rick을 위해 밴드 동료가 특별한 드럼을 만들어 주었다. _____

3 윗글의 빈칸에 들어갈 말로 가장 알맞은 것은?

① failure ② success ③ experience

④ problem ⑤ importance

지식
채널

Ray Charles (1930년 9월 23일~2004년 6월 10일)는 미국의 가수, 작사가이자 피아니스트이다. 7세 때 녹내장에 걸려 시각
장애인이 되었으나, 플로리다 주 세인트 오거스틴 학교의 특수학교에서 음악, 피아노, 점자를 공부하였다. 이후 그는 블루스, 재즈,
찬송가 등 다양한 음악 양식을 아우르며 수많은 명곡을 발표하였고, 흑인 음악의 성장을 이끌었다.
Ray Charles는 1981년에 할리우드 명예의 거리에 등록되었으며, 2008년에는 미국의 잡지 〈롤링스톤〉이 발표한 〈역사상 가장
위대한 가수 100명〉에서 2위를 차지하였다.

4

World-Famous

What makes a roller coaster exciting? Is it how fast it goes? Or how high it is? Here are three world-famous rides.

Formula Rossa, at Ferrari World amusement park in Abu Dhabi, is the world's fastest roller coaster. It goes from zero to 240 km/h in just five
5 seconds. If you ride the Formula Rossa, you have to wear special goggles because the speed is the same as sky-diving.

Kingda Ka, at New Jersey's Six Flags Great Adventure Park, is the tallest-ever roller coaster. It was also the world's fastest, until Ferrari World built the Formula Rossa. But Kingda Ka is still the tallest. Just
10 how tall is Kingda Ka? It's 139 meters. (as, a forty-seven-story building, that's, tall, as).

Japan's Nagashima Spa Land is where you can ride the world's longest roller coaster. It's called **Steel Dragon 2000**, and it measures 2,479 meters in length. The Steel Dragon is made of more steel than any other roller
15 coaster. It needs much more steel to protect it from earthquakes.

Which one would you like to ride?

어휘 충전

roller coaster _____	exciting a. _____	ride n. _____ v.
amusement park _____	goggles n. _____	speed n. _____
build v. _____	still ad. _____	story n. _____
steel n. _____	measure v. _____	in length _____
protect v. _____	earthquake n. _____	

1 윗글의 제목으로 가장 알맞은 것은?

① Various Amusement Parks in the World

② The Fastest Roller Coaster in Abu Dhabi

③ The Reason Why We Ride Roller Coasters

④ The World's Most Thrilling Roller Coasters

⑤ Getting over the Fear of Riding Roller Coasters

2 Formula Rossa에 관한 윗글의 내용과 일치하지 <u>않는</u> 것은?

① 아부다비에 있는 놀이공원에 있다.

② 세계에서 가장 빠른 롤러코스터이다.

③ 5초 안에 240km를 갈 수 있다.

④ 고글을 착용하고 타야 한다.

⑤ 스카이다이빙만큼 빠른 속도로 움직인다.

서술형

3 윗글의 ( ) 안에 주어진 단어를 바르게 배열하여 문장을 완성하시오.

_____

이미지 맵 글을 읽고, 빈칸을 완성하시오.

Title: (1)_____

Formula Rossa	Kingda Ka	Steel Dragon 2000
The (2)_____ roller coaster	The (4)_____ roller coaster	The (6)_____ roller coaster
It goes from 0 to (3)_____ km/h in five seconds.	It is (5)_____ meters tall.	It is (7)_____ meters long.

Review Test

1

Mysteries

A 다음 중 단어의 정의가 <u>잘못된</u> 것은?

① recently: a long time ago

② ghost: the spirit of a dead person

③ believe: to think something is true

④ explain: to give details about something

⑤ smell: to put your nose near something and breathe in

B 우리말과 일치하도록 〈보기〉에서 단어를 골라 문장을 완성하시오.

> 보기   familiar   believes   fresh   nobody

1 _____ knows why he cried yesterday. 그가 어제 왜 울었는지 아무도 모른다.

2 I'm not _____ with this type of music. 나는 이런 종류의 음악에 익숙하지 않다.

3 Tom eats _____ fruit every morning. Tom은 매일 아침 신선한 과일을 먹는다.

4 The little girl still _____ in Santa Claus. 그 어린 소녀는 아직도 산타클로스가 있다고 믿는다.

2

Animals

A 밑줄 친 단어와 <u>반대되는</u> 의미의 단어를 고르시오.

1 Mr. Smith will <u>stay</u> in Chicago for five days.

① live   ② leave   ③ last   ④ alive   ⑤ attend

2 It is <u>safe</u> to wear a helmet when you ride a bike.

① unhurt   ② protected   ③ secure   ④ frightening   ⑤ harmful

B 주어진 뜻에 알맞은 단어를 〈보기〉에서 찾아 쓰시오.

> 보기   far away   member   sight   luckily   difference

1 the ability to see   _____

2 in a fortunate way   _____

3 at or to a great distance   _____

4 the state or relation of being different   _____

5 a person, animal, or plant that is part of a group   _____

3

Music

A 다음 중 단어의 정의가 <u>잘못된</u> 것은?

① practice: to perform or do something regularly

② mate: someone who hates you or wants to harm you

③ talented: having a natural ability to do something well

④ design: to plan the form and structure for a definite purpose

⑤ accident: an unfortunate happening that results in injury or harm

B 우리말과 일치하도록 〈보기〉에서 단어를 골라 문장을 완성하시오.

> **보기**   let   awesome   tragedy   success

1 She was much pleased with my _____. 그녀는 나의 성공을 매우 기뻐했다.

2 Please _____ me know when you leave. 언제 출발할 건지 내게 알려주세요.

3 Jason was amazing and _____ in the play. Jason은 극 중에서 멋지고 굉장했다.

4 Global warming is a _____ for the whole world. 지구 온난화는 전 세계의 비극이다.

4

World-Famous

A 밑줄 친 단어와 비슷한 의미의 단어를 고르시오.

1 It's so <u>exciting</u> to go to a rock concert.

① boring   ② dangerous   ③ thrilling   ④ disappointing   ⑤ confusing

2 Let's <u>build</u> a fence around the garden.

① make   ② break   ③ blow   ④ hold   ⑤ mix

B 우리말과 일치하도록 〈보기〉에서 단어를 골라 문장을 완성하시오.

> **보기**   measured   length   speed   protect

1 This river has a _____ of 100 kilometers. 이 강은 길이가 100킬로미터이다.

2 The _____ limit here is 80 kilometers an hour. 여기의 제한 속도는 시속 80킬로미터이다.

3 She always uses sunscreen to _____ her skin.
그녀는 피부를 보호하기 위해 항상 자외선 차단제를 바른다.

4 They _____ flour, butter, and milk to bake muffins.
그들은 머핀을 만들기 위해 밀가루와 버터, 우유의 양을 쟀다.

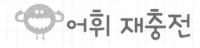
어휘 재충전

1 Mysteries

□ grandmother	n. 할머니
□ believe	v. 믿다
□ ghost	n. 귀신
□ smell	n. 냄새 v. ~한 냄새가 나다
□ fresh	a. 신선한
□ mean	v. 의미하다
□ recently	ad. 최근에
□ die	v. 죽다
□ familiar	a. 익숙한
□ nobody else	다른 누구도 ~않다
□ explain	v. 설명하다

2 Animals

□ live	v. 살다
□ group	n. 집단, 무리
□ colony	n. 집단 거주지, 식민지
□ far away	멀리 떨어진
□ thousands of	수천의
□ same	a. 같은, 동일한
□ tell	v. 알다, 말하다, 구별하다
□ sense	n. 감각
□ sight	n. 시력
□ member	n. 구성원
□ stay	v. 지내다, 머무르다
□ together	ad. 함께
□ importantly	ad. 중요하게
□ safe	a. 안전한
□ each other	서로
□ luckily	ad. 운 좋게
□ similar	a. 비슷한
□ difference	n. 차이, 다름

3 Music

□ drummer	n. 드럼 연주자
□ talented	a. 재능이 있는
□ accident	n. 사고
□ seem like	~처럼 보이다
□ never	ad. 결코 ~ 않다
□ mate	n. 친구, 동료
□ let	v. ~하게 하다
□ design	v. 설계하다, 만들다
□ practice	v. 연습하다
□ finally	ad. 마침내
□ record	n. 녹음, 앨범
□ awesome	a. 굉장한, 놀라운
□ turn A into B	A를 B가 되게 하다
□ tragedy	n. 비극
□ failure	n. 실패
□ success	n. 성공
□ experience	n. 경험

4 World-Famous

□ roller coaster	롤러코스터
□ exciting	a. 신 나는, 재미있는
□ ride	n. 놀이기구, 탈 것 v. 타다
□ amusement park	놀이공원
□ goggles	n. 고글, 보호 안경
□ speed	n. 속도
□ build	v. 짓다
□ still	ad. 여전히, 아직도
□ story	n. (건물의) 층
□ steel	n. 강철
□ measure	v. (길이, 크기가) ~이 되다, 측정하다
□ in length	길이에 있어서
□ protect	v. 보호하다
□ earthquake	n. 지진

Chapter
06

Psychology

Stories

Letter

Information

Psychology

Almost everyone has a fear of something. Some people fear spiders, snakes, bears, and even mice. Others are afraid of being in small enclosed spaces and high places
5 and public speaking. These examples are very common. Maybe you have one of these fears. But there are some unusual fears, too. For instance, there are some people who are terrified of Santa Claus. Why? ① Usually, it's because they have bad memories of Santa. ② Perhaps, his long beard, strange red costume, and big fat body scared
10 them when they were little. ③ Or perhaps they just saw an evil Santa in a movie. ④ Most people wish to spend time watching movies on holiday. ⑤ Christmas must be the most terrible holiday for them.

1 윗글의 제목으로 가장 알맞은 것은?

① People Who Fear Every Day　　② Fears That Make People Strong

③ Fears That People Can Have　　④ The Origin of Santa Claus

⑤ Santa Claus and Christmas Holidays

2 윗글의 밑줄 친 ①~⑤ 중 글의 흐름과 관계가 <u>없는</u> 것은?

①　　　　②　　　　③　　　　④　　　　⑤

어휘 충전

fear n. ____ v. ____	spider n. ____	be afraid of ____
enclosed a. ____	space n. ____	public speaking ____
example n. ____	common a. ____	unusual a. ____
for instance ____	be terrified of ____	have a bad memory of ____
perhaps ad. ____	beard n. ____	costume n. ____
scare v. ____	evil a. ____	terrible a. ____

Receiving a gift is always exciting. But what if the gift is not from a human? Lucy Watkins, a fourteen-year-old English girl, got a 4.5 kilogram live fish. From a dolphin! She and her family were on a boat watching a dolphin. That dolphin was Dave, a well-known dolphin in the
5 area. Dave swam up to the boat and looked at Lucy. Suddenly, he dived in the water and came back up with a huge fish. He tossed the fish into the boat. Lucy didn't know what to do. She just stared at Dave and the fish. Dave dived again, and came back up with another fish. Then he started to eat it. Lucy
10 watched Dave eat his fish and realized the first fish was a gift for her.

1 윗글에 나타난 **Lucy**의 심경 변화로 가장 알맞은 것은?

① 우울한 → 놀란 ② 즐거운 → 슬픈

③ 기쁜 → 황당한 ④ 만족스러운 → 초조한

⑤ 당황스러운 → 고마워하는

서술형

2 윗글에서 다음 질문에 대한 답을 찾아 우리말로 쓰시오.

When did Lucy realize the first fish was a gift for her?

_____

receive v._____	exciting a._____	human n._____
live [laiv] a._____	dolphin n._____	well-known a._____
area n._____	swim up_____	suddenly ad._____
dive v._____	huge a._____	toss v._____
stare at_____	realize v._____	gift n._____

어휘 충전

3

Dear pet owners,

Going on vacation is hard, isn't it? You worry about your pet, and you can't enjoy your holiday, either. Your dog or cat is

5 a part of your family. You can't leave it alone in your house. _____(A)_____ you don't need to worry any more.

My name is Aileen, and I'm the CEO of Urban Tails Resort. Urban Tails is the world's first seven-star resort for pets. At Urban Tails, your

10 pet will be safe and happy while you're away. We have beautiful rooms, restaurants, swimming pools, and playrooms for your lovely pets. Our pet guests also enjoy classical music, air conditioning, and TVs. _____(B)_____, there are cameras throughout the resort, so you can see your pet online anytime. Urban Tails has a range of suites at prices

15 from $30 to $100 per night. Please call or visit us online. You'll see we're the perfect place for your pet.

Sincerely,

Aileen

go on vacation _____	worry about _____	enjoy v. _____
holiday n. _____	either ad. _____	a part of _____
leave v. _____	alone a. _____	need v. _____
CEO (Chief Executive Officer) _____		while conj. _____
playroom n. _____	throughout prep. _____	anytime ad. _____
a range of _____	suite n. _____	perfect a. _____
furthermore ad. _____		

1 윗글의 목적으로 가장 알맞은 것은?

① 감사하기 위해   ② 사과하기 위해   ③ 항의하기 위해

④ 광고하기 위해   ⑤ 문의하기 위해

2 윗글의 빈칸 (A)와 (B)에 들어갈 말로 가장 알맞은 것은?

① And – However   ② However – So   ③ But – Furthermore

④ As – If   ⑤ For example – Moreover

3 윗글의 내용과 일치하면 T, 그렇지 않으면 F를 쓰시오.

(1) Urban Tails Resort는 애완동물을 위한 세계 최초 7성급 리조트이다.   _____

(2) Urban Tails Resort에 있는 애완동물은 정해진 시간에만 볼 수 있다.   _____

(3) Urban Tails Resort는 1박당 $30 이상을 지불해야 한다.   _____

VIP 반려동물을 위한 초호화 서비스

· **애견유치원**: 애견은 오전 10시에 등교해서 오후 4시에 하교하고, 하교 시에는 담임 선생님이 알림장도 작성해 준다. 수업 시간에는 배변 학습, 사회 적응 훈련 등이 진행된다. 의료시설도 최고 수준으로 자기공명영상(MRI)과 컴퓨터단층촬영(CT) 장비를 갖추고 있으며, 항암치료나 호스피스 서비스는 물론 줄기세포 시술도 이뤄진다. 또한 온돌바닥, 음향 시스템도 갖춰져 있다.

· **장례 서비스**: 수의를 입혀 주고, 염습을 거쳐, 화장, 납골당 안치까지 장례 절차를 대행해 준다. 반려동물의 사체 크기에 따라 최소 20만 원에서 300만 원까지 비용은 다양하다.

4

Information

Your brain is actually two mostly separate parts, the right brain and the left brain. The right brain controls the left side of your body, and the left brain controls the right. Scientists
5 are still not sure why <u>it works like this</u>. What they do know, however, is that certain activities are great for your brain. Among these special activities, juggling is one of the best.

(①) In fact, studies show that juggling is like a workout for the brain.
10 (②) Juggling makes the right brain and left brain work better together. (③) When the right brain and left brain work better together, your brain becomes faster and more creative. (④) It's not only exciting but it also makes you smarter. Do you want to juggle for fun and to get better grades? You don't need to be a professional. (⑤) Just start with small
15 and soft balls and practice every day. Eventually, you'll succeed. Your friends and family will be amazed at your juggling and grades as well. But don't forget to study, too.

*juggling 저글링(공 따위를 세 개 이상 들고 공중으로 던져 가며 곡예를 하는 것)

brain n. _____	mostly ad. _____	separate a. _____
control v. _____	still ad. _____	certain a. _____
activity n. _____	workout n. _____	become v. _____
creative a. _____	grade n. _____	professional n. _____
practice v. _____	eventually ad. _____	succeed v. _____
be amazed at _____	as well _____	forget v. _____
improve v. _____	intelligence n. _____	

1 윗글의 제목으로 가장 알맞은 것은?

① How Your Brain Works

② Why the Brain Is Important

③ Why You Have to Study Hard

④ An Activity That Makes You Smarter

⑤ A Man Who Became a Professional Juggler

2 윗글에서 밑줄 친 it works like this가 의미하는 것을 찾아 우리말로 쓰시오.

_____

3 글의 흐름으로 보아 주어진 문장이 들어갈 위치로 가장 알맞은 곳은?

> In other words, juggling improves intelligence.

①   ②   ③   ④   ⑤

이미지 맵 글을 읽고, 빈칸을 완성하시오.

Title: (1)_____
_____
_____

Juggling is the best activity for your (2)_____.

Juggling improves (3)_____.

Juggling helps you get (4)_____ grades.

Review Test

A 다음 중 단어의 정의가 <u>잘못된</u> 것은?

① costume: a set of clothes

② fear: a feeling of being afraid

③ space: an area that is empty or available

④ example: a spoken or written reply or response

⑤ common: existing in large numbers or happening often

B 우리말과 일치하도록 〈보기〉에서 단어를 골라 문장을 완성하시오.

> [보기] enclosed   terrified   perhaps   evil

1 Why are you so _____ of bees? 너는 왜 그렇게 벌을 무서워하니?

2 The novel is about a(n) _____ man. 그 소설은 어떤 나쁜 남자에 대한 것이다.

3 The old castle is _____ by the high wall. 그 고성은 높은 벽으로 둘러싸여 있다.

4 _____ we can visit this place again. 아마 우리는 또 이곳을 방문할 수 있을 거예요.

A 밑줄 친 단어와 <u>반대되는</u> 의미의 단어를 고르시오.

1 I <u>received</u> a lot of letters from the readers of my book.

① take   ② accept   ③ give   ④ have   ⑤ get

2 There is a <u>huge</u> grocery store in my town.

① large   ② giant   ③ big   ④ great   ⑤ small

B 주어진 뜻에 알맞은 단어를 〈보기〉에서 찾아 쓰시오.

> [보기] area   suddenly   toss   stare   realize

1 quickly and unexpectedly   _____

2 to look at something intensely   _____

3 to begin to understand something   _____

4 to throw something lightly or carelessly   _____

5 a particular part of a city, town, country etc. _____

3

Letter

A 다음 중 단어의 정의가 <u>잘못된</u> 것은?

① enjoy: to experience with joy

② place: anything a person wants to buy

③ perfect: as good as it could possibly be

④ need: to want something or someone strongly

⑤ guest: a person who spends some time at another person's home

B 우리말과 일치하도록 〈보기〉에서 단어를 골라 문장을 완성하시오.

보기   alone   anytime   throughout   either

1 The song is known _____ the world. 그 노래는 전 세계 곳곳에 알려져 있다.

2 My brother is angry and wants to be _____. 내 남동생은 화가 나서 혼자 있고 싶어 한다.

3 I can't find my cell phone on the bed, _____. 내 휴대 전화를 침대에서도 보지 못했어요.

4 Please come by my office _____ before noon. 정오 전에 아무 때나 제 사무실에 들르세요.

4

Information

A 밑줄 친 단어와 비슷한 의미의 단어를 고르시오.

1 Do you want to <u>improve</u> your English?

① worsen   ② develop   ③ lessen   ④ reduce   ⑤ stop

2 After a long illness, he <u>eventually</u> became healthy again.

① usually   ② unfortunately   ③ luckily   ④ finally   ⑤ easily

B 우리말과 일치하도록 〈보기〉에서 단어를 골라 문장을 완성하시오.

보기   control   become   certain   workout

1 She does a thirty-minute _____ every day. 그녀는 매일 30분의 운동을 한다.

2 _____ people might not like the idea. 어떤 사람들은 그 의견을 좋아하지 않을 수도 있다.

3 When I was young, I wanted to _____ a pilot. 나는 어렸을 때, 파일럿이 되고 싶었다.

4 A few countries still _____ the world economy.
몇몇 국가가 여전히 세계 경제를 지배한다.

어휘 재충전

1 Psychology

☐ fear	n. 공포, 두려움 v. 무서워하다
☐ spider	n. 거미
☐ be afraid of	~을 무서워하다
☐ enclosed	a. 폐쇄된, 둘러싸인
☐ space	n. 공간
☐ public speaking	대중 연설
☐ example	n. 예시
☐ common	a. 흔한
☐ unusual	a. 특이한, 예외적인
☐ for instance	예를 들어
☐ be terrified of	~을 무서워하다
☐ have a bad memory of	~에 대한 나쁜 기억이 있다
☐ perhaps	ad. 아마, 어쩌면
☐ beard	n. 턱수염
☐ costume	n. 의상
☐ scare	v. ~을 겁나게 하다
☐ evil	a. 악랄한, 사악한
☐ terrible	a. 끔찍한

2 Stories

☐ receive	v. ~을 받다
☐ exciting	a. 신 나는
☐ human	n. 인간, 사람
☐ live [laiv]	a. 살아 있는
☐ dolphin	n. 돌고래
☐ well-known	a. 유명한
☐ area	n. 지역
☐ swim up	헤엄쳐 오르다
☐ suddenly	ad. 갑자기
☐ dive	v. 뛰어들다
☐ huge	a. 거대한
☐ toss	v. 던지다
☐ stare at	~을 빤히 쳐다보다, 응시하다
☐ realize	v. 알아차리다
☐ gift	n. 선물

3 Letter

☐ go on vacation	휴가를 가다
☐ worry about	~에 대해 걱정하다
☐ enjoy	v. 즐기다
☐ holiday	n. 휴가, 방학
☐ either	ad. 또한, 게다가
☐ a part of	~의 일부
☐ leave	v. ~을 내버려두다, 떠나다
☐ alone	a. 혼자, 홀로
☐ need	v. 필요하다
☐ CEO (Chief Executive Officer)	최고 경영 책임자
☐ while	conj. ~하는 동안
☐ playroom	n. 놀이방, 오락실
☐ throughout	prep. 곳곳에
☐ anytime	ad. 언제나
☐ a range of	~의 범위의, 다양한
☐ suite	n. (호텔의) 스위트룸, 특별실
☐ perfect	a. 완벽한
☐ furthermore	ad. 뿐만 아니라

4 Information

☐ brain	n. 뇌
☐ mostly	ad. 주로
☐ separate	a. 분리된
☐ control	v. 통제하다
☐ still	ad. 아직도, 여전히
☐ certain	a. 어떤, 확실한
☐ activity	n. 활동
☐ workout	n. 운동
☐ become	v. ~이 되다
☐ creative	a. 창의적인
☐ grade	n. 성적
☐ professional	n. 전문가
☐ practice	v. 연습하다
☐ eventually	ad. 결국
☐ succeed	v. 성공하다
☐ be amazed at	~에 깜짝 놀라다
☐ as well	또한, 역시
☐ forget	v. 잊다
☐ improve	v. 향상시키다
☐ intelligence	n. 지능

World News

Myth

Animals

Sports

World News

Can you imagine that you are in an upside-down house? If you visit Germany's Getorrf Zoo, you don't need to imagine it. Why not? Because the Upside-Down House is inside the zoo. It's a real house, and it's totally
5 upside-down. Let's go inside. The ceiling and the lights are under your feet. The floor and all the furniture are up above your head. It's scary to walk under the heavy things, especially the refrigerator and the TV. You might be afraid that they will fall down on your head. Also, you might feel very uncomfortable in the upside-down bathroom. (you, careful, visit,
10 be, the toilet, when)!

1 그림을 보고, 윗글에 나온 집을 <u>잘못</u> 묘사한 부분을 고르시오.

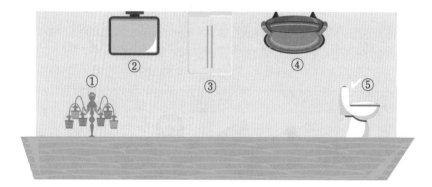

서술형
2 윗글의 ( ) 안에 주어진 단어를 바르게 배열하여 문장을 완성하시오.

_____

어휘 충전

imagine v._____
totally ad._____
under prep._____
above prep._____
afraid a._____
careful a._____

upside-down a._____
ceiling n._____
floor n._____
scary a._____
fall down _____
toilet n._____

inside prep._____ ad._____
light n._____
furniture n._____
refrigerator n._____
uncomfortable a._____

2

Myth

Something "everyone knows" isn't always true. Here are some common beliefs and some facts _____.

- "Everyone knows" that you put cheese in mousetraps to catch mice. But mice almost never eat cheese.

- "Everyone knows" England's weather is the rainiest in the world. But its total rainfall is much less than Korea's.

- "Everyone knows" shaving makes your hair grow thicker. But the hair is still the same hair. The cut side of the hair only looks thicker.

- Everyone says "Don't go out in the rain or you'll catch a cold." But a cold is a virus, and viruses don't live in the rain.

So, how many facts surprised you?

Really?

＊total rainfall 총 강수량

1 윗글의 빈칸에 들어갈 말로 가장 알맞은 것은?

① that you should believe   ② that people tried to find   ③ that may surprise you

④ that can make people sad   ⑤ that nobody understands

2 윗글의 내용과 일치하면 T, 그렇지 않으면 F를 쓰시오.

(1) 쥐는 쥐덫에 놓인 치즈를 즐겨 먹는다.   _____

(2) 영국은 한국보다 비가 더 많이 온다.   _____

(3) 감기 바이러스는 빗속에서 살지 않는다.   _____

not always _____	common a. _____	belief n. _____
fact n. _____	mousetrap n. _____	catch v. _____
weather n. _____	less a. _____	shaving n. _____
grow v. _____	thick a. _____	cut side _____
go out _____	cold n. _____	virus n. _____

어휘 충전

3

Animals

We all know that birds sing. What other animals can sing? Of course, humans can. What about mice? Have you ever heard a mouse sing? We are not talking about mice in cartoons. Mice in cartoons sing all the time. Mickey Mouse, especially, loves to sing. But real mice can't sing, can they? As a matter of fact, (A) they can! Recently, scientists at the University of Florida discovered that mice can sing. But not all mice are singers. The only mice that sing are male. The mice sing to attract female partners. The female mice prefer high voices, so (B) they listen to the songs and then choose the highest voices. Therefore, the male who sings the highest wins the most female partners. Next time you see a mouse, maybe you can hear it sing.

어휘 충전

cartoon n. _____	all the time _____	especially ad. _____
real a. _____	as a matter of fact _____	recently ad. _____
discover v. _____	male a. _____ n. _____	attract v. _____
female a. _____ n. _____	partner n. _____	prefer v. _____
voice n. _____	choose v. _____	therefore ad. _____

1 윗글의 제목으로 가장 알맞은 것은?

① Animals in Cartoons

② Male Mice That Can Sing

③ How to Protect Female Mice

④ The Animals That Can't Sing

⑤ A Special Mouse That Attracts People

2 윗글의 내용과 일치하지 <u>않는</u> 것은?

① 과학자들은 쥐가 노래를 부를 수 있다는 것을 발견했다.

② 모든 쥐가 노래를 부르는 것은 아니다.

③ 수컷 쥐는 암컷 쥐의 마음을 얻기 위해 노래를 부른다.

④ 암컷 쥐는 낮은 목소리를 선호한다.

⑤ 가장 높은 목소리를 가진 수컷 쥐가 가장 많은 암컷 짝을 얻을 수 있다.

3 윗글에서 밑줄 친 (A), (B)의 **they**가 뜻하는 것을 찾아 각각 두 단어의 영어로 쓰시오.

(A) _____ (B) _____

거미의 짝짓기

동물 대부분은 짝짓기 전에 몸의 색깔이 변하거나 특유의 냄새를 풍기는 등 특이한 구애 행동을 한다. 그 중 거미는 암컷이 페로몬을 분비하여 수컷이 다가올 수 있도록 하는데, 이때 수컷이 일방적으로 접근하면 암컷에게 잡아 먹힐 수도 있다. 그래서 수컷은 거미그물에 있는 신호 줄을 이용하여 암컷에게 자신이 왔다는 것을 알리고, 이 신호를 감지한 암컷의 허락이 떨어져야 짝짓기를 할 수 있다. 또한 거미는 먹이를 이용하여 짝짓기를 하기도 한다. 먹이를 잡은 수컷이 암컷 주변으로 간 다음, 암컷이 다른 먹이에 접근하지 못하도록 한다. 이로 인해 암컷은 먹이를 잡지 못하고 굶게 되는데, 이때 수컷이 먹이를 건네주고서 암컷이 먹이를 먹는 사이에 짝짓기를 하고 도망간다.

4

Sports

Soccer scores are easy to understand. They start at 0 ("zero" or "nil") and increase one point at a time. But tennis scores? They are totally different. For a start, they don't say "zero" or "nil" in tennis. Instead, they say "love." Thus, the score at the start of a tennis match
5 is "love all." It means both players have a score of zero. After that, the scores become even more confusing. But let's not worry about that now. (①) Learn to play tennis and you will soon understand. (②) For now, let's just see why zero in tennis is love. (③) You may be surprised. (④) You see, the shape of an egg is like a
10 zero. (⑤) That's why people say "goose egg" for "zero" sometimes in American baseball games. But tennis was invented in France, and "egg" is "l'oeuf" in French. It sounds like "love" in English. And that's how "zero" became "love" in tennis.

*nil 〈스포츠〉 영점(zero)

score n. _____	increase v. _____	point n. _____
at a time _____	totally ad. _____	for a start _____
instead ad. _____	thus ad. _____	match n. _____
confusing a. _____	soon ad. _____	shape n. _____
goose n. _____	sometimes ad. _____	invent v. _____
French n. _____	lie v. _____	

1 윗글의 주제로 가장 알맞은 것은?

① 테니스의 기원

② 테니스 점수의 유래

③ 테니스를 배우는 방법

④ 테니스가 유명하게 된 이유

⑤ 사람들이 테니스를 좋아하는 이유

2 윗글에 언급된 내용이 <u>아닌</u> 것은?

① 테니스에서는 0점을 love라고 말한다.

② 테니스 경기 시작 시, 점수는 love all이다.

③ 테니스는 프랑스에서 유래했다.

④ 미국 야구 경기에서 무득점을 goose egg라고 말하기도 한다.

⑤ 예전에는 테니스 경기에서 달걀이 점수 기록에 사용되었다.

3 글의 흐름으로 보아 주어진 문장이 들어갈 위치로 가장 알맞은 곳은?

> The answer lies in eggs!

①   ②   ③   ④   ⑤

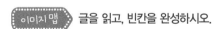 글을 읽고, 빈칸을 완성하시오.

In a tennis match, love
(1)_____ zero.

Title: Tennis Scores and Love

It is because the (2)_____ of
an egg is like a (3)_____ .

"Egg" in French (4)_____
like "love" in English.

1 **World News**

A 다음 중 단어의 정의가 잘못된 것은?

① under: at a higher place

② inside: in or into a room

③ imagine: to think about something in mind

④ ceiling: the overhead interior surface of a room

⑤ furniture: the things that you put in a house or room, such as chairs, desks etc.

B 우리말과 일치하도록 〈보기〉에서 단어를 골라 문장을 완성하시오.

보기 floor   light   uncomfortable   afraid

1 There is a _____ on the wall. 벽에 조명이 있다.

2 He was _____ with some strange sounds. 그는 이상한 소리 때문에 불쾌했다.

3 They were _____ that they might miss the last bus. 그들은 막차를 놓칠까 걱정했다.

4 I dropped Mom's favorite vase on the _____.
나는 엄마가 가장 좋아하는 꽃병을 바닥에 떨어뜨렸다.

2 **Myth**

A 밑줄 친 단어와 반대되는 의미의 단어를 고르시오.

1 He always goes to school early.

① often   ② sometimes   ③ never   ④ usually   ⑤ all the time

2 What is the most common language in the world?

① universal   ② rare   ③ familiar   ④ frequent   ⑤ normal

B 주어진 뜻에 알맞은 단어를 〈보기〉에서 찾아 쓰시오.

보기 go out   trap   fact   catch   belief

1 a piece of true information _____

2 to grab or capture something _____

3 a strong feeling that something is true _____

4 to leave your house and go somewhere _____

5 a device which is placed somewhere to catch animals or birds _____

3

Animals

A 다음 중 단어의 정의가 <u>잘못된</u> 것은?

① recently: long ago

② real: being or existing as a fact

③ choose: to make a choice what to do

④ partner: a person who is associated with another

⑤ voice: the sounds that are made with a mouth and throat

B 우리말과 일치하도록 〈보기〉에서 단어를 골라 문장을 완성하시오.

> 보기   all the time   discover   attract   prefer   therefore

1 Which do you _____, rice or noodles? 밥과 면 중에 어느 것을 더 선호하니?

2 Keith puts the key in his pocket _____. Keith는 항상 열쇠를 주머니에 넣어둔다.

3 I'm now 19 years old. _____ I can get a driver's license.
저는 이제 19세가 되었어요. 그래서 운전면허를 딸 수 있어요.

4 The supermarket gave free gifts to _____ new customers.
슈퍼마켓은 새 고객을 끌어들이기 위해 무료 선물을 제공했다.

5 Christopher Columbus was not the first man to _____ the Americas.
Christopher Columbus는 아메리카 대륙을 발견한 최초의 사람이 아니었다.

4

Sports

A 밑줄 친 단어와 비슷한 의미의 단어를 고르시오.

1 Sales of smartphones <u>increased</u> last year.

  ① raise   ② drop   ③ loss   ④ decline   ⑤ reduce

2 I expect him to arrive <u>soon</u>.

  ① never   ② far   ③ later   ④ shortly   ⑤ late

B 우리말과 일치하도록 〈보기〉에서 단어를 골라 문장을 완성하시오.

> 보기   understand   confusing   shape   invent

1 These road signs are very _____. 이 도로 표지판은 매우 혼란스럽다.

2 We bought a table that is oval in _____. 우리는 모양이 타원형인 탁자를 구입했다.

3 The scientist wants to _____ a special car. 그 과학자는 특별한 차를 발명하고 싶어 한다.

4 I don't _____ why he always tells a lie. 나는 그가 왜 항상 거짓말을 하는지 이해할 수 없다.

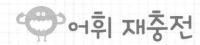

어휘 재충전

1 World News

□ imagine	v. 상상하다
□ upside-down	a. 거꾸로 된, 뒤집힌
□ inside	prep. ~의 안에 ad. 안으로
□ totally	ad. 완전히
□ ceiling	n. 천장
□ light	n. 전등, 조명
□ under	prep. ~의 아래에
□ floor	n. 바닥
□ furniture	n. 가구
□ above	prep. ~의 위에
□ scary	a. 무서운, 겁나는
□ refrigerator	n. 냉장고
□ afraid	a. 무서워하는, 걱정하는
□ fall down	떨어지다
□ uncomfortable	a. 불편한
□ careful	a. 조심성 있는, 신중한
□ toilet	n. 화장실, 변기

2 Myth

□ not always	항상 ~인 것은 아니다
□ common	a. 흔한
□ belief	n. 믿음, 신념
□ fact	n. 사실
□ mousetrap	n. 쥐덫
□ catch	v. 잡다, (병에) 걸리다
□ weather	n. 날씨, 기상
□ less	a. 더 적은
□ shaving	n. 면도
□ grow	v. 자라다, 커지다
□ thick	a. 두꺼운
□ cut side	절단면, 자른 면
□ go out	외출하다
□ cold	n. 감기
□ virus	n. 바이러스, 병원체

3 Animals

□ cartoon	n. 만화
□ all the time	내내, 언제나
□ especially	ad. 특히
□ real	a. 실제의, 현실의
□ as a matter of fact	사실은
□ recently	ad. 최근에
□ discover	v. 발견하다
□ male	a. 수컷의 n. 수컷
□ attract	v. 마음을 끌다
□ female	a. 암컷의 n. 암컷
□ partner	n. 파트너, 짝
□ prefer	v. 선호하다
□ voice	n. 목소리
□ choose	v. 선택하다
□ therefore	ad. 그러므로, 때문에

4 Sports

□ score	n. 득점, 점수
□ increase	v. 증가하다
□ point	n. 점, 점수
□ at a time	한 번에
□ totally	ad. 완전히
□ for a start	우선, 먼저
□ instead	ad. 대신에
□ thus	ad. 따라서
□ match	n. 경기
□ confusing	a. 혼란스러운
□ soon	ad. 곧, 이내
□ shape	n. 형태, 모양
□ goose	n. 거위
□ sometimes	ad. 때때로
□ invent	v. 발명하다, 고안하다
□ French	n. 프랑스 어
□ lie	v. 있다, 놓여 있다

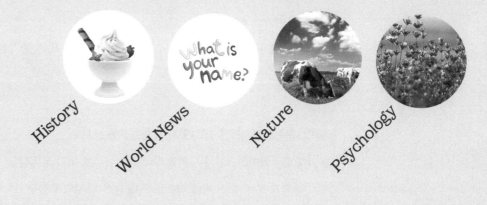

History

World News

Nature

Psychology

History

Ice cream is loved by millions of people all over the world. The sweet, cool, and creamy taste makes us happy on hot summer days and nights. Even ancient people loved ice cream. According

5 to historians, the Roman Emperor Nero (A.D. 37-68) enjoyed ice cream. He sent his slaves into the mountains to gather snow and bring it back. Then the slaves mixed the snow with fruit and honey. On the other side of the world, the Chinese Emperors of T'ang dynasty (A.D. 618-907) enjoyed

10 ice cream, too. They had 94 ice men. The ice men mixed the ice with frozen milk, rice, and flour for the emperor. Ancient ice cream was a real luxury. Only kings and queens could eat it.

1 윗글의 주제로 가장 알맞은 것은?

① 고대의 아이스크림   ② 아이스크림이 인기 있는 이유

③ 아이스크림의 다양한 맛   ④ 아이스크림 맛의 숨겨진 비밀

⑤ 아이스크림을 만드는 방법

2 윗글의 내용과 일치하면 T, 그렇지 않으면 F를 쓰시오.

(1) 고대에는 아이스크림이 사치였기 때문에 아무도 먹지 못했다.   _____

(2) 로마 황제 Nero는 노예를 산으로 보내 눈을 가져오게 했다.   _____

(3) 중국 당나라의 황제들은 과일과 함께 얼음을 섞어 먹었다.   _____

어휘 충전

millions of _____	creamy a._____	ancient a._____
historian n._____	Roman a._____	emperor n._____
enjoy v._____	send v._____	slave n._____
gather v._____	bring A back _____	mix v._____
frozen a._____	flour n._____	luxury n._____

Do you like your name? Do you think it suits you? If you do, lucky you! Many kids don't like the name their parents gave them. They may think it sounds funny or strange. They may be unhappy because other kids make fun of it. Or they may think that it is too common. George Garratt, an English

5 teenager, thought his name was too common and too boring. George wanted a _____(A)_____ common, _____(B)_____ unique name. So, when he was 19, he actually changed his name. It's definitely not boring any more. His name is now "Captain Fantastic Faster Than Superman Spiderman Batman Wolverine Hulk And The Flash Combined." Can you believe it? It

10 was listed in the Guinness World Records as the world's longest name. He will need a very big passport.

1 George Garratt에 관한 윗글의 내용과 일치하는 것은?

① 미국인 10대 청소년이다.

② 친구들에게 이름으로 놀림을 받았다.

③ 이름이 매우 특이하여 바꾸고 싶어 했다.

④ 19세가 되었을 때 이름을 바꿨다.

⑤ 새 이름이 기네스북에 가장 특이한 이름으로 올라 있다.

2 윗글의 빈칸 (A)와 (B)에 들어갈 말로 바르게 짝지어진 것은?

① more - less   ② better - less   ③ less - more

④ worse - more   ⑤ less - less

suit v.＿＿＿	lucky a.＿＿＿	funny a.＿＿＿
unhappy a.＿＿＿	make fun of＿＿＿	common a.＿＿＿
boring a.＿＿＿	unique a.＿＿＿	actually ad.＿＿＿
change v.＿＿＿	definitely ad.＿＿＿	combined a.＿＿＿
list v.＿＿＿	passport n.＿＿＿	

3

Nature

Everyone knows that the food we eat affects our health. But did you know that it affects our planet's health, too? Meat is the biggest problem. Eating too much meat causes heart disease and cancer. It also speeds up global warming and climate change. How? If we want to eat meat, we have to raise animals such as cows, sheep, pigs, and chickens. These animals eat up crops and grass on the green land and drink up all the water. This causes deforestation, air pollution, and water pollution. The animals also produce huge amounts of methane, one of the greenhouse gases. Greenhouse gases are making our planet _____. So, how about eating more vegetables than meat? It's good for your health and good for the earth, too. Eat less meat, help save the earth!

*deforestation 산림 파괴 *methane 메탄(가스) *greenhouse gas 온실효과를 일으키는 가스

어휘 충전

affect v._____
meat n._____
cancer n._____
climate change _____
crop n._____
produce v._____
vegetable n._____

health n._____
cause v._____
speed up _____
raise v._____
drink up _____
huge a._____
save v._____

planet n._____
heart disease _____
global warming _____
eat up _____
pollution n._____
an amount of _____

1 윗글의 요지로 가장 알맞은 것은?

① 온실효과 감소를 위해 숲을 가꾸자.

② 음식을 골고루 섭취하는 식습관을 들이자.

③ 온난화에 따른 기후 변화에 대비하도록 하자.

④ 지구를 보호하기 위해 육식보다는 채식을 하자.

⑤ 기후 변화에 따른 농작물 재배 방법의 변화가 필요하다.

2 윗글에서 육류 과다 섭취의 영향으로 언급되지 <u>않은</u> 것은?

① heart disease   ② climate change   ③ global warming

④ overweight   ⑤ cancer

3 윗글의 빈칸에 들어갈 말로 가장 알맞은 것은?

① less and less

② faster and faster

③ better and better

④ hotter and hotter

⑤ cooler and cooler

지구 온난화의 가장 큰 원인, 온실가스

온실가스는 지구 온난화를 발생시키는 가장 큰 원인이다. 온실가스는 지구를 따뜻하게 해 줘서 적당한 온도를 유지하는 데 필요하지만, 그 양이 너무 많아져서 온난화의 원인이 되고 있다. 지구 온난화를 막기 위해서는 온실가스의 양을 줄이는 것이 매우 중요하다. 지구 온난화를 유발하는 온실가스는 6가지 종류가 있으며 이산화탄소, 메탄, 이산화질소, 수소불화탄소, 과불화탄소, 육불화황이 있다.

이 중 가장 대표적인 것은 이산화탄소이며 산업화와 함께 계속해서 증가하고 있다. 온실가스 증가의 원인은 여러 가지가 있지만 가장 큰 원인은 석탄, 석유 같은 화석 연료의 사용이다. 우리가 일상에서 사용하는 전기나 휘발유 등의 모든 에너지가 이 화석 연료를 기반으로 생산되고 있기 때문에, 일상생활 속에서의 에너지 절약이 지구 온난화의 주범인 온실가스를 줄이는 가장 효과적인 방법이다.

4

Psychology

Try to imagine a world without colors. How dull! How depressing! What's worse, it would also be dangerous. Just think of all the accidents at the traffic lights. Clearly, colors are more than just pretty. They also help keep us safe. But did you know that colors have healing powers, too?

5 It's true. Colors affect our bodies and our moods. For instance, blue and gray colors are calming. Feeling calm helps you sleep well. That's why lavender is a popular color for bedrooms. It's a mixture of blue and gray. Green is another color that's calming. It's especially good for headaches. So, if your head hurts, go somewhere that's really green. Walking in a

10 forest or park is ideal. How about yellow? It's the color of sunshine. And just like the sun, it brings energy and good cheer. To give your spirits a lift, try sitting near bright yellow things. What special powers colors have! Take a look at your favorite color. How does it make you feel?

imagine v.	color n.	dull a.
depressing a.	dangerous a.	accident n.
traffic light	clearly ad.	keep v.
healing a.	affect v.	mood n.
for instance	calm v.	lavender n.
mixture n.	especially ad.	headache n.
hurt v.	ideal a.	cheer n.
spirit n.	lift n.	take a look

1 윗글의 제목으로 가장 알맞은 것은?

① The Mixture of Colors

② Types of Color Blindness

③ How to Choose Right Colors

④ Special Healing Powers of Colors

⑤ The Most Popular Color for Women

2 다음의 상황에 어떤 색이 효과적인지 〈보기〉에서 골라 그 기호를 쓰시오

> 보기   ⓐ blue   ⓑ green   ⓒ yellow

(1) 여러 가지 문제로 두통이 심하다.   _____

(2) 기운이 없고 어깨가 축 처져 있다.   _____

(3) 숙면을 취하지 못한다.   _____

서술형

3 윗글에서 라벤더 색이 침실용으로 인기가 있는 이유를 찾아 우리말로 쓰시오.

_____

이미지 맵 글을 읽고, 빈칸을 완성하시오.

		blue	They help you (3)_____ well.
Title: (1)_____ _____ _____	These colors are (2)_____.	gray	
		green	It is especially good for (4)_____.
	This color brings (5)_____ and good cheer.	yellow	It gives your spirits a (6)_____.

Review Test

1 History

A 다음 중 단어의 정의가 <u>잘못된</u> 것은?

① gather: to come together in a group

② send: to accept or choose something

③ ancient: belonging to the distant past

④ enjoy: to find pleasure in doing something

⑤ slave: someone who belongs to another person and works for him or her

B 우리말과 일치하도록 〈보기〉에서 단어를 골라 문장을 완성하시오.

> 보기   millions of   frozen   mix   luxury

1 Add milk and _____ with eggs and sugar. 우유를 첨가하고 달걀과 설탕을 함께 섞어라.

2 He lived in _____ after he won the lottery. 그는 복권에 당첨된 이후 사치스럽게 살았다.

3 Many people are used to eating _____ food.
많은 사람들이 냉동식품을 먹는 것에 익숙해져 있다.

4 The soccer players received huge support from _____ people.
축구 선수들은 수백만의 사람들로부터 엄청난 응원을 받았다.

2 World News

A 밑줄 친 단어와 <u>반대되는</u> 의미의 단어를 고르시오.

1 Why do you look so <u>unhappy</u>?

① blue   ② joyful   ③ upset   ④ depressed   ⑤ bored

2 She wants to <u>change</u> the color of her hair.

① refund   ② exchange   ③ keep   ④ replace   ⑤ produce

B 주어진 뜻에 알맞은 단어를 〈보기〉에서 찾아 쓰시오.

> 보기   suit   definitely   list   passport

1 certainly or absolutely   _____

2 to be convenient for you   _____

3 an official document to enter or leave a country   _____

4 to write or say several things one after the other   _____

③

Nature

A 다음 중 단어의 정의가 <u>잘못된</u> 것은?

① climate: general weather condition

② affect: to influence a person or a thing

③ save: to help something avoid harm

④ planet: a living thing that grows in the earth

⑤ cause: to make something happen, usually something bad

B 빈칸에 알맞은 말을 〈보기〉에서 골라 쓰시오. (중복 사용 가능)

보기   up   as   for

1 Eating vegetables is good _____ your health.

2 Meat speeds _____ global warming and climate change.

3 We have to raise animals such _____ cows and chickens.

4 These animals eat _____ crops and grass on the green land.

④

Psychology

A 밑줄 친 단어와 비슷한 의미의 단어를 고르시오.

1 The movie I saw yesterday was really <u>dull</u>.

① boring   ② exciting   ③ disappointing   ④ interesting   ⑤ amusing

2 <u>Clearly</u>, there was something wrong.

① smoothly   ② nearly   ③ surely   ④ lately   ⑤ especially

B 우리말과 일치하도록 〈보기〉에서 단어를 골라 문장을 완성하시오.

보기   mood   calm   dangerous   hurt

1 It's _____ to drive on the icy road. 빙판길에서 운전하는 것은 위험하다.

2 My mom seems to be in a bad _____. 엄마의 기분이 좋지 않은 것 같다.

3 I _____ my ankle while I was running. 나는 달리는 도중에 발목을 다쳤다.

4 When I see blue, I feel _____. 나는 파란색을 보면 안정감을 느낀다.

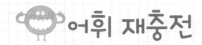
어휘 재충전

1 History

☐ millions of	수백만의, 수많은
☐ creamy	a. 크림 같은
☐ ancient	a. 고대의
☐ historian	n. 역사학자
☐ Roman	a. 로마의
☐ emperor	n. 황제
☐ enjoy	v. 즐기다
☐ send	v. 보내다
☐ slave	n. 노예
☐ gather	v. 모으다
☐ bring A back	A를 갖고 돌아오다
☐ mix	v. 섞다
☐ frozen	a. 냉동된
☐ flour	n. 밀가루
☐ luxury	n. 호화로움, 사치

2 World News

☐ suit	v. 어울리다
☐ lucky	a. 운이 좋은
☐ funny	a. 우스운
☐ unhappy	a. 불만족스러운
☐ make fun of	~을 놀리다
☐ common	a. 흔한
☐ boring	a. 지루한
☐ unique	a. 독특한
☐ actually	ad. 실제로, 정말로
☐ change	v. 바꾸다, 변경하다
☐ definitely	ad. 분명히
☐ combined	a. 결합한, 전부 합친
☐ list	v. 목록에 포함시키다.
☐ passport	n. 여권

3 Nature

☐ affect	v. ~에 영향을 미치다
☐ health	n. 건강
☐ planet	n. 행성
☐ meat	n. 고기
☐ cause	v. ~을 야기하다
☐ heart disease	심장병
☐ cancer	n. 암
☐ speed up	속도를 빠르게 하다
☐ global warming	지구 온난화
☐ climate change	기후 변화
☐ raise	v. 기르다, 사육하다
☐ eat up	~을 먹어 없애다
☐ crop	n. 농작물
☐ drink up	마셔버리다
☐ pollution	n. 오염
☐ produce	v. 생산하다
☐ huge	a. 거대한
☐ an amount of	상당한 양의
☐ vegetable	n. 채소
☐ save	v. 구하다

4 Psychology

☐ imagine	v. 상상하다
☐ color	n. 색, 빛깔
☐ dull	a. 따분한, 재미없는
☐ depressing	a. 우울하게 만드는
☐ dangerous	a. 위험한
☐ accident	n. 사고
☐ traffic light	(교통) 신호등
☐ clearly	ad. 분명히
☐ keep	v. 유지하다
☐ healing	a. 치유하는
☐ affect	v. ~에 영향을 미치다
☐ mood	n. 기분
☐ for instance	예를 들어
☐ calm	v. 진정시키다
☐ lavender	n. 라벤더
☐ mixture	n. 혼합물
☐ especially	ad. 특히
☐ headache	n. 두통
☐ hurt	v. 아프다
☐ ideal	a. 이상적인, 완벽한
☐ cheer	n. 생기, 쾌활함
☐ spirit	n. 정신, 영혼
☐ lift	n. 활기를 주는 힘
☐ take a look	한번 보다

Chapter

09

World News

Stories

Science

Life

World News

Do you know that walking can help poor children? A man named Jean Beliveau is doing it now. He is walking around the world to raise money and save children

5 from wars. Eleven years ago, on his 45th birthday, he said goodbye to his family and started walking. So far, Mr. Beliveau has walked 76,000 kilometers through 64 countries on six continents. During that time, strangers gave him food and places to sleep. He sometimes slept in churches and even in jails. He only spent money on new pairs of shoes.

10 Now he is wearing his 66th pair. We wish you a safe journey home, Mr. B!

1 윗글을 읽고 답할 수 있는 질문이 <u>아닌</u> 것은?

① How long has he walked so far?

② How many countries has he been to?

③ How much money has he raised so far?

④ Who gave him food and places to sleep?

⑤ When did Jean Beliveau start walking?

2 윗글에서 Jean Beliveau가 세계를 걷기 시작한 이유를 찾아 우리말로 쓰시오.

_____

poor a._____	walk around _____	raise v._____
save v._____	say goodbye _____	through prep._____
continent n._____	during prep._____	stranger n._____
sometimes ad._____	jail n._____	spend v._____
pair n._____	wish v._____	journey n._____

2

Stories

Mel Blanc was a very successful American voice actor. He made the voices of *Porky Pig*, *Bugs Bunny*, and many famous cartoon characters. He spent his life recording these funny voices. But in 1961, Mr. Blanc was in a very bad car accident. He was in a coma for many weeks. His family

5 stayed by his side in the hospital. They talked to him all the time, but he didn't respond. Then one day, they tried something new. They talked to Mr. Blanc in his cartoon character voices. _____, Mr. Blanc started to speak. He said, in Bugs Bunny's voice, "Hey … What's up, Doc?" And then he was awake again!

1 윗글에서 Mel Blanc에 관한 설명으로 언급되지 <u>않은</u> 것은?

① 유명한 만화 속 등장인물들의 목소리를 담당했다.
② 1961년에 큰 교통사고를 겪었다.
③ 사고 후, 몇 주 동안 의식불명 상태였다.
④ 만화 속 등장인물의 목소리를 듣고 깨어났다.
⑤ 사고 이후에도 계속 성우 활동을 했다.

2 윗글의 빈칸에 들어갈 말로 가장 알맞은 것은?

① Nevertheless   ② For example   ③ Therefore
④ All of a sudden   ⑤ At first

successful a. _____	voice actor _____	voice n. _____
character n. _____	spend v. _____	life n. _____
record v. _____	accident n. _____	in a coma _____
all the time _____	respond v. _____	try v. _____
speak v. _____	awake a. _____	all of a sudden _____

어휘 충전

3

Science

Would you like to live forever? What can live forever? Vampires can. So can elves. But they only exist in books and movies. Scientists know one animal in the real world that can live forever. That unique creature

5 is the immortal jellyfish. Immortal jellyfish live in warm oceans all over the world. They can change themselves into tiny eggs. ① Then they grow and change into tiny polyps. ② Next, they change into 1 mm jellyfish with eight tentacles. ③ Finally, they become 4.5 mm jellyfish with 90 tentacles. ④ After that, they start

10 the cycle all over again. ⑤ They capture their prey using their tentacles. They never have to die. To never die, how great that would be!

*polyp 폴립, 작은 원통형 해양 고착 생물 *tentacle 촉수

어휘 충전

forever ad. _____	vampire n. _____	elf n. _____
exist v. _____	unique a. _____	creature n. _____
immortal a. _____	jellyfish n. _____	ocean n. _____
all over the world _____	change A into B _____	tiny a. _____
grow v. _____	become v. _____	cycle n. _____
all over again _____	capture v. _____	prey n. _____
die v. _____		

1 윗글의 제목으로 가장 알맞은 것은?

① The Jellyfish Living in Rivers

② A Creature That Never Dies

③ Fun Facts about Vampires

④ The Function of Tentacles

⑤ How to Live Forever

서술형

2 윗글에 나온 Immortal Jellyfish의 삶의 주기를 순서대로 쓰시오.

ⓐ 폴립   ⓑ 여덟 개의 촉수를 가진 1밀리미터 크기의 해파리

ⓒ 아주 작은 알   ⓓ 아흔 개의 촉수를 가진 4.5밀리미터 크기의 해파리

3 윗글의 밑줄 친 ①~⑤ 중 글의 흐름과 관계가 없는 것은?

①   ②   ③   ④   ⑤

지구상에서 가장 오래 사는 동물

마다가스카르에서 북서쪽으로 42km, 세이셸에서 가장 큰 마헤 섬에서 남서쪽으로 1,120km 떨어진 곳에 있는 알다브라 환초에서 서식하는 알다브라 자이언트 육지거북은 거북목 남생이과에 속하는 파충류로 세계에서 가장 큰 거북이다. 수명은 100~255년으로 지구상에서 가장 오래 사는 동물로 기록되어 있다. 수컷의 평균 등딱지 길이는 120cm, 무게는 250~360kg이고, 암컷의 등딱지 길이는 90cm, 무게는 150kg 정도이다. 목은 긴 편으로 땅에서 1m 위쪽에 있는 나무의 잎이나 열매를 뜯어 먹을 때 유리하다. 1년에 1회 이상, 2~5월에 8~25개의 알을 낳는데 알에서 부화하는 데는 3~5개월 정도, 다 자라려면 30년 정도가 걸린다. 현재 전 세계적으로 22만 마리 정도가 남아 있으며, 이 중 15만 2,000마리 이상이 인도양의 알다브라 제도에 서식한다.

Life

Dear Anne,

I'm a fourteen-year-old boy. I just moved from Korea to America. Today was the first day of school. When I came into class, my classmates were looking at me strangely because I'm different from them. I couldn't make
5 friends at all. I feel so lonely and unhappy. I don't want to go to school any more. Please help me!

Sincerely,

Jaekyung

Dear Jaekyung,

10 Moving to a new school is never easy. And moving to another country is very hard. It's natural to feel sad and lonely. So, try to take it easy. Things will get better. (①) Try to talk to your classmates first. (②) And you will soon find a friend or two among them. (③) Find things in common with your classmates. (④) Talk to the one who sits next
15 to you and ask him about the things he likes. (⑤) Keep smiling, be friendly, and be yourself!

Sincerely,

Anne the Advice Aunty

move v. _____	come into _____	strangely ad. _____
be different from _____	make friends _____	not ~ at all _____
lonely a. _____	another _____	natural a. _____
take it easy _____	get better _____	among prep. _____
in common _____	sit v. _____	keep v. _____
friendly a. _____		

1 윗글에 나타난 재경이의 심정으로 가장 알맞은 것은?

① 희망적이다　　　　② 따분하다　　　　③ 우울하다

④ 망설인다　　　　　⑤ 무섭다

2 글의 흐름으로 보아 주어진 문장이 들어갈 위치로 가장 알맞은 곳은?

> I bet he would love to be friends with you.

①　　　　②　　　　③　　　　④　　　　⑤

3 윗글에서 친구를 사귈 때 해야 할 행동으로 언급되지 <u>않은</u> 것은?

① Be friendly to all people.

② Smile as often as possible.

③ Find something in common.

④ Try to approach classmates first.

⑤ Try to visit your friend's house regularly.

이미지 맵 글을 읽고, 빈칸을 완성하시오.

Talk to your classmates (1)_____.

Title: How to Make Friends in a New School

Find things in (2)_____ with your classmates.

Talk to the one who (3)_____ next to you.

Keep smiling, be (4)_____, and be yourself.

Review Test

A 다음 중 단어의 정의가 <u>잘못된</u> 것은?

① wish: to allow or permit

② journey: an act of traveling from one place to another

③ poor: having little or no money or goods

④ around: in a region or area neighboring a place

⑤ jail: a place where criminals are kept to punish them

B 우리말과 일치하도록 〈보기〉에서 단어를 골라 문장을 완성하시오.

> [보기] raising   during   stranger   pair

1 I bought a _____ of socks, a cap, and a bag. 나는 양말 한 켤레와 모자, 가방을 샀다.

2 All the audiences are silent _____ the concert. 청중 모두는 콘서트 동안 말이 없었다.

3 He noticed a _____ coming into his house.
그는 집에 낯선 사람이 들어오는 것을 발견했다.

4 Some students are _____ money for the homeless.
몇몇 학생들이 노숙자들을 위해 돈을 모금하고 있다.

A 밑줄 친 단어와 <u>반대되는</u> 의미의 단어를 고르시오.

1 Do you want to be a <u>successful</u> businessman?

① top   ② failed   ③ wealthy   ④ generous   ⑤ powerful

2 Why are you still <u>awake</u>?

① sad   ② alive   ③ knowing   ④ asleep   ⑤ aware

B 주어진 뜻에 알맞은 단어를 〈보기〉에서 찾아 쓰시오.

> [보기] character   life   respond   spend

1 to reply or answer in words   _____

2 the people in a film, book, or play   _____

3 to use time or effort doing something   _____

4 the period of time when a person is alive   _____

③

Science

A 다음 중 단어의 정의가 <u>잘못된</u> 것은?

① tiny: extremely large in size

② forever: without ever ending

③ exist: to continue to be or live

④ cycle: a series of events that is repeated

⑤ ocean: the large area of salty water on the Earth's surface

B 우리말과 일치하도록 〈보기〉에서 단어를 골라 문장을 완성하시오.

보기   immortal   creatures   vampire   become   changed

1 A larva grows to _____ a butterfly. 애벌레는 자라서 나비가 된다.

2 I saw a man who looked like a(n) _____. 나는 흡혈귀처럼 보이는 한 남자를 보았다.

3 The traffic lights _____ from green to red. 신호등이 녹색 불에서 빨간 불로 바뀌었다.

4 All the _____ need sunlight to survive. 모든 생명체는 생존하기 위해 태양이 필요하다.

5 The musician is dead, but his music is _____. 그 음악가는 죽었지만, 그의 음악은 영원하다.

④

Life

A 밑줄 친 단어와 비슷한 의미의 단어를 고르시오.

1 It's <u>natural</u> that you couldn't pass the exam.

　① unusual　　② different　　③ uncommon　　④ rare　　⑤ normal

2 She is a very <u>friendly</u> person.

　① bad　　② disliking　　③ favorable　　④ harmful　　⑤ unkind

B 우리말과 일치하도록 〈보기〉에서 단어를 골라 문장을 완성하시오.

보기   lonely   keep   in common   move

1 When can you _____ to this house? 당신은 언제 이 집으로 이사할 수 있습니까?

2 Dan and I have many things _____. Dan과 나는 많은 공통점을 가지고 있다.

3 _____ looking at your sister until I come back.
내가 돌아올 때까지 여동생을 계속 보고 있어라.

4 He has no friend in this town, so he feels _____.
그는 이 도시에 친구가 없어서 외로움을 느낀다.

어휘 재충전

1 World News

□ poor	a. 가난한
□ walk around	걸어서 돌아다니다
□ raise	v. 모으다
□ save	v. 구하다
□ say goodbye	작별 인사를 하다
□ through	prep. ~을 통과하여
□ continent	n. 대륙
□ during	prep. ~동안, ~하는 중에
□ stranger	n. 낯선 사람
□ sometimes	ad. 때때로
□ jail	n. 감옥
□ spend	v. 쓰다, 지출하다
□ pair	n. 짝, 켤레
□ wish	v. 바라다
□ journey	n. 여행, 여정

2 Stories

□ successful	a. 성공한
□ voice actor	성우
□ voice	n. 목소리
□ character	n. 등장인물
□ spend	v. (시간을) 보내다
□ life	n. 인생, 삶
□ record	v. 녹음하다
□ accident	n. 사고
□ in a coma	혼수상태에 빠져서
□ all the time	줄곧, 내내
□ respond	v. 대답하다
□ try	v. 시도하다
□ speak	v. 말하다
□ awake	a. 깨어 있는
□ all of a sudden	갑자기

3 Science

□ forever	ad. 영원히, 평생
□ vampire	n. 흡혈귀
□ elf	n. 요정
□ exist	v. 존재하다
□ unique	a. 독특한, 특별한
□ creature	n. 생명체
□ immortal	a. 죽지 않는
□ jellyfish	n. 해파리
□ ocean	n. 바다
□ all over the world	전 세계에
□ change A into B	A를 B로 변화시키다
□ tiny	a. 아주 작은
□ grow	v. 자라다
□ become	v. ~이 되다
□ cycle	n. 주기
□ all over again	되풀이해서
□ capture	v. 잡다
□ prey	n. 먹이
□ die	v. 죽다

4 Life

□ move	v. 이사하다, 옮기다
□ come into	~으로 들어가다
□ strangely	ad. 이상하게
□ be different from	~와 다르다
□ make friends	친구를 사귀다
□ not ~ at all	전혀 ~가 아닌
□ lonely	a. 외로운
□ another	다른, 또 하나의
□ natural	a. 당연한
□ take it easy	서두르지 않다
□ get better	나아지다, 호전되다
□ among	prep. ~중에
□ in common	공통으로
□ sit	v. 앉다
□ keep	v. 유지하다
□ friendly	a. 친절한

Chapter

10

Stories

Health

Issue

Science

Stories

Paulo and Eliana have lived together for 47 years. They are not married, and they are not family. They're just friends! When they were three, they caught polio and had to

5 move into a hospital. Their home is still that hospital in Brazil. Polio badly damaged their bodies. They can't breathe or move without machines, so (hardly, outside, they, go, can, ever). Are they unhappy? No! They laugh and joke all the time. And now they are filmmakers, too. They made a 3D animated series, "The Adventures

10 of Leca and Her Friends." It tells the story of Paulo and Eliana's life together in the hospital. Isn't that great?

*polio 소아마비

1 윗글을 통해 알 수 있는 Paulo와 Eliana의 성격으로 가장 알맞은 것은?

① selfish　　　　　② negative　　　　　③ positive

④ sensitive　　　　⑤ talkative

2 윗글의 ( ) 안에 주어진 단어를 바르게 배열하여 문장을 완성하시오.

_____

marry v. _____
still ad. _____
damage v. _____
hardly ever _____
joke v. _____
series n. _____

catch v. _____
Brazil n. _____
breathe v. _____
unhappy a. _____
filmmaker n. _____

hospital n. _____
badly ad. _____
machine n. _____
laugh v. _____
animated a. _____

Your body is amazing and strong. But the tiniest things can harm you and make you sick. What are these tiny things? They are germs. You can't see them, but they are everywhere. And they get inside you very easily. (①) They cause the flu and many other illnesses. (②) But you can
5 protect yourself. (③) How? (④) Germs hate soap and water. Most of all, they hate rubbing hands together in soapy water. (⑤) So, do it whenever you can. Do it before you eat, after you use the toilet, and whenever you sneeze or cough. Also keep your desk and keyboard clean. Germs love dirty keyboards.
10 When you eat at your desk, you drop little bits of food. Germs really love these. So, try not to eat at your desk. Keep clean and stay free of germs!

1 세균에 관한 윗글의 내용과 일치하지 <u>않는</u> 것은?

① 세균은 모든 곳에 있다.　　　　② 세균은 물을 싫어한다.

③ 세균은 눈으로 볼 수 없다.　　　④ 세균은 독감의 원인이 된다.

⑤ 비눗물에 손 씻기로는 세균을 없앨 수 없다.

2 글의 흐름으로 보아 주어진 문장이 들어갈 위치로 가장 알맞은 곳은?

> By washing our hands!

①　　　　　②　　　　　③　　　　　④　　　　　⑤

amazing a. _____	tiny a. _____	harm v. _____
germ n. _____	inside prep. _____	cause v. _____
flu n. _____	illness n. _____	protect v. _____
most of all _____	rub v. _____	soapy a. _____
sneeze v. _____	cough v. _____	drop v. _____
bit n. _____	stay v. _____	free of _____

3

Issue

What's the longest river in the world? Some say it's the Nile, and others say it's the Amazon. Let's find out who is right. Please keep in mind that measuring a river is not an easy task. Big rivers come from many smaller rivers. So it's difficult to say exactly where a river begins, and people might
5 argue about that. Nevertheless, according to UNESCO scientists, the Nile is 6,650 kilometers long, and the Amazon is 6,400 km long. Thus, the Nile is the longest river in the world. However, in 2007, Brazilian scientists re-measured the Amazon, and they found that it was 6,800 kilometers. After that, Brazilian scientists claimed that the Amazon is longer than the
10 Nile. But their result is not accepted by all scientists. Which side are you on?

river n.	find out	keep in mind
measure v.	task n.	exactly ad.
argue v.	nevertheless ad.	scientist n.
Brazilian a.	re-measure v.	claim v.
result n.	accept v.	side n.

1 윗글의 제목으로 가장 알맞은 것은?

① The Longest River in the World

② The World's Most Beautiful River

③ Where Do Big Rivers Come From?

④ How to Measure the Length of Rivers

⑤ Differences between the Nile and the Amazon

2 윗글에 따르면 강의 길이를 측정하는 것이 쉽지 <u>않은</u> 이유는?

① 측정하는 방법에 따라 길이가 다르기 때문에

② 주변 환경에 의해 강의 길이도 변하기 때문에

③ 강이 어디에서 끝이 나는지 알 수 없기 때문에

④ 사람이 측정하기에는 강의 길이가 너무 길기 때문에

⑤ 강이 어디서부터 시작하는지 정확히 알 수 없기 때문에

3 밑줄 친 **their result**의 내용으로 가장 알맞은 것은?

① The Nile is the longest in the world.

② The Nile is longer than the Amazon.

③ The Amazon is the longest in the world.

④ It's difficult to say which river is longer.

⑤ They found that the Nile is 6,800 kilometers long.

나일 강 vs. 아마존 강

나일 강은 아프리카 대륙의 동북부를 흐르는 강이다. 고대부터 사하라 사막을 넘어 북부 아프리카와 적도 이남의 내륙 아프리카를 연결하는 유일한 교통로로 사용되었다. 이집트를 흐르는 나일 강은 정기적으로 범람하기 때문에, 범람이 끝난 후 농지를 원래대로 복구하기 위해 고대 이집트 문명에서는 측량과 기하학이 특히 발달했다.

아마존 강은 남아메리카 대륙에 위치한 강으로 하구는 대서양이며, 유량은 미시시피 강, 나일 강, 양쯔 강을 합친 것보다 많다. 아마존 분지의 열대 우림은 세계 최대의 밀림으로, 대체할 수 없는 소중한 자원이지만 최근 엄청난 속도로 파괴되고 있다. 이러한 상태라면 앞으로 30~50년 안에 아마존 생태가 파괴되는 재앙이 일어날 것이라는 전망도 나오고 있다.

4

Jack Andraka is a fairly ordinary American teenager. He enjoys riding his bike, playing basketball, and watching TV. But Jack is unlike other ordinary teenagers, for one very special reason. What's

5 the reason? He invented a paper sensor that can find pancreatic cancer. And he did it when he was only 15. Jack's sensor is 168 times faster and 26,000 times cheaper than current tests. How did he come to invent it? A close friend of his family died of pancreatic cancer when Jack was 15. After that, Jack started reading about pancreatic

10 cancer. He studied all of the scientific articles he could find online. Finally, he created his amazing new paper sensor. Now he's a famous young scientist and has $75,000 in prize money. The money will help Jack go to college and learn new ways to fight cancer.

*pancreatic cancer 췌장암

어휘 충전

fairly ad._____	ordinary a._____	ride v._____
unlike prep._____	reason n._____	invent v._____
sensor n._____	cancer n._____	cheap a._____
current a._____	come to _____	die of _____
scientific a._____	article n._____	create v._____
famous a._____	prize money _____	college n._____
fight v._____		

1 윗글의 제목으로 가장 알맞은 것은?

① A Study on Rare Diseases of Teens

② Discovery of the Cure for a Rare Disease

③ The Side Effects of the New Paper Sensor

④ The Doctor Who Developed a New Treatment

⑤ The Teen Scientist Who Invented a Cancer Test

2 Jack Andraka에 관한 윗글의 내용과 일치하지 <u>않는</u> 것은?

① 평범한 10대 청소년이다.

② 15세에 췌장암을 진단하는 감지기를 발명했다.

③ 어려서부터 호기심이 많고 과학 수업을 좋아했다.

④ 온라인에 올라온 기사로 췌장암에 대한 공부를 하였다.

⑤ 현재 유명한 과학자이다.

서술형

3 윗글에서 Jack Andraka가 췌장암에 대해서 공부하게 된 계기를 찾아 우리말로 쓰시오.

_____

이미지 맵 글을 읽고, 빈칸을 완성하시오.

He is an American (2)_____.

Title: (1)_____
_____

He studied all the scientific (3)_____ he could found online.

_____

He (4)_____ a paper sensor that can find pancreatic cancer.

He became a famous (5)_____.

Review Test

1 Stories

A 다음 중 단어의 정의가 <u>잘못된</u> 것은?

① badly: severely or seriously

② damage: to break or spoil an object

③ joke: to say things that are intended to make people cry

④ breathe: to take air into the lungs and let it out again

⑤ series: a number of things that come one after the other

B 우리말과 일치하도록 〈보기〉에서 단어를 골라 문장을 완성하시오.

〈보기〉 catch   still   machine   marry

1 Daniel asked her to _____ him. Daniel은 그녀에게 청혼했다.

2 I guess the washing _____ is out of order. 내 생각에 세탁기가 고장 난 것 같다.

3 The concert tickets are _____ available. 그 콘서트 티켓은 아직 구입이 가능하다.

4 Many people _____ a cold during the change of season.
환절기에 많은 사람이 감기에 걸린다.

2 Health

A 밑줄 친 단어와 <u>반대되는</u> 의미의 단어를 고르시오.

1 Exercising keeps your body <u>strong</u>.

① powerful   ② weak   ③ long   ④ heavy   ⑤ sweet

2 Don't be afraid. He will not <u>harm</u> you.

① injure   ② hit   ③ damage   ④ hurt   ⑤ benefit

B 주어진 뜻에 알맞은 단어를 〈보기〉에서 찾아 쓰시오.

〈보기〉 germ   sick   flu   soap   hate

1 physically ill   _____

2 to dislike someone or something very much   _____

3 a very small organism that causes disease   _____

4 a substance that you use with water to wash something _____

5 an illness that is similar to a bad cold but more serious _____

3 Issue

A 다음 중 단어의 정의가 <u>잘못된</u> 것은?

① measure: to discover the size or quantity

② accept: to say yes to an offer or invitation

③ river: salty water that covers the earth's surface

④ task: a piece of work which somebody has to do

⑤ argue: to speak angrily to persuade people that you are right

B 우리말과 일치하도록 〈보기〉에서 단어를 골라 문장을 완성하시오.

보기 in about on out

1 Whose side are you _____? 너는 누구의 편이니?

2 Let's find _____ what happened. 무슨 일이 일어났는지 알아보자.

3 We don't argue _____ such small things. 우리는 그런 사소한 일에 대해 논쟁하지 않는다.

4 Keep _____ mind what your parents told you. 네 부모님이 하신 말씀을 명심해라.

4 Science

A 밑줄 친 단어와 비슷한 의미의 단어를 고르시오.

1 It's <u>fairly</u> simple to use this machine.

① extremely ② quite ③ certainly ④ even ⑤ apparently

2 There are lots of <u>cheap</u> restaurants in the city.

① comfortable ② popular ③ inexpensive ④ delicious ⑤ famous

B 우리말과 일치하도록 〈보기〉에서 단어를 골라 문장을 완성하시오.

보기 reason ordinary prize article

1 The title of the _____ was quite shocking. 기사의 제목은 상당히 충격적이었다.

2 Nobody expects him to win the _____. 아무도 그가 상을 탈 것이라고 기대하지 않는다.

3 I don't understand the _____ why you are angry.
나는 네가 왜 화가 났는지 이해할 수 없어.

4 He likes to write about the lives of _____ people.
그는 보통 사람들의 삶에 대해 글을 쓰는 것을 좋아한다.

어휘 재충전

1 Stories

☐ marry	v. 결혼하다
☐ catch	v. (병에) 걸리다
☐ hospital	n. 병원
☐ still	ad. 여전히, 아직도
☐ Brazil	n. 브라질
☐ badly	ad. 심하게
☐ damage	v. 손상을 주다
☐ breathe	v. 호흡하다, 숨 쉬다
☐ machine	n. 기계
☐ hardly ever	거의 ~않다
☐ unhappy	a. 불행한
☐ laugh	v. 웃다
☐ joke	v. 농담을 하다
☐ filmmaker	n. 영화 제작자
☐ animated	a. 만화 영화로 된
☐ series	n. 연속, 시리즈

2 Health

☐ amazing	a. 놀라운
☐ tiny	a. 아주 작은
☐ harm	v. 해를 끼치다
☐ germ	n. 세균
☐ inside	prep. ~의 안에
☐ cause	v. 야기하다
☐ flu	n. 독감
☐ illness	n. 병
☐ protect	v. 보호하다, 지키다
☐ most of all	무엇보다도
☐ rub	v. 문지르다
☐ soapy	a. 비누의
☐ sneeze	v. 재채기하다
☐ cough	v. 기침하다
☐ drop	v. ~을 떨어뜨리다
☐ bit	n. 부스러기
☐ stay	v. ~인 채로 있다
☐ free of	~이 없는

3 Issue

☐ river	n. 강
☐ find out	알아내다
☐ keep in mind	명심하다
☐ measure	v. 측정하다
☐ task	n. 일, 과업
☐ exactly	ad. 정확히
☐ argue	v. 다투다, 주장하다
☐ nevertheless	ad. 그럼에도 불구하고
☐ scientist	n. 과학자
☐ Brazilian	a. 브라질(인)의
☐ re-measure	v. 다시 재다
☐ claim	v. 주장하다
☐ result	n. 결과
☐ accept	v. 받아들이다
☐ side	n. 쪽, 편

4 Science

☐ fairly	ad. 상당히, 꽤
☐ ordinary	a. 보통의, 평범한
☐ ride	v. 타다
☐ unlike	prep. ~와 다른
☐ reason	n. 이유
☐ invent	v. 발명하다
☐ sensor	n. 감지기
☐ cancer	n. 암
☐ cheap	a. 싼
☐ current	a. 현재의, 최신의
☐ come to	~하게 되다
☐ die of	~으로 인해 죽다
☐ scientific	a. 과학적인
☐ article	n. 글, 기사
☐ create	v. 창안하다, 만들어 내다
☐ famous	a. 유명한
☐ prize money	상금
☐ college	n. 대학
☐ fight	v. 싸우다

1 Places

A 영어는 우리말로, 우리말은 영어로 쓰시오.

1 expression _____

2 rule _____

3 dig for _____

4 discover _____

5 find _____

6 ~에 입장하다 _____

7 이름을 지어주다 _____

8 전문가 _____

9 가치가 있는 _____

10 입장료 _____

B 〈보기〉와 같이 우리말과 같은 뜻이 되도록 문장을 완성하시오.

> **보기** Michael은 자신의 다이아몬드를 "God's Glory"라고 이름 지었다. (his diamond)
>
> → Michael named his diamond "God's Glory." _____

1 Sarah는 자신의 고양이를 "Mimi"라고 이름 지었다. (her cat)

→ _____

2 Jack은 자신의 딸을 "Emma"라고 이름 지었다. (his daughter)

→ _____

3 Mr. Adams는 자신의 차를 "Jaguar"라고 이름 지었다. (his car)

→ _____

C 우리말과 같은 뜻이 되도록 주어진 단어를 배열하여 문장을 완성하시오.

1 너는 그녀를 아니? (her, know, you, do)

→ _____

2 그는 공원에 갔다. (to, went, he, the park)

→ _____

3 대부분의 사람들은 운이 좋지 않다. (people, lucky, most, get, don't)

→ _____

A 영어는 우리말로, 우리말은 영어로 쓰시오.

1 break   _____   6 최근에   _____

2 gain weight   _____   7 체중 증가   _____

3 lose   _____   8 채소   _____

4 exercise   _____   9 ~을 막다, 피하다 _____

5 depressed   _____   10 ~을 돌보다   _____

B 〈보기〉와 같이 우리말과 같은 뜻이 되도록 문장을 완성하시오.

> 보기 열심히 공부해라, 그러면 시험에 통과할 것이다. (study hard, pass, the exam)
> → Study hard and you will pass the exam.

1 책을 읽어라, 그러면 많은 정보를 얻을 것이다. (read, a book, get, lots of, information)

→ _____

2 서둘러라, 그러면 마지막 기차를 탈 것이다. (hurry up, catch, the last train)

→ _____

3 신선한 야채를 먹어라, 그러면 건강해질 것이다. (eat, fresh vegetables, be, healthy)

→ _____

C 우리말과 같은 뜻이 되도록 주어진 단어를 배열하여 문장을 완성하시오.

1 당신의 삶에서 가장 중요한 사람은 누구입니까? (the, person, in your life, is, important, who, most)

→ _____

2 행복한 사람들은 스스로를 잘 돌본다. (themselves, happy, take, people, good care of)

→ _____

3 당신은 자신에 대해 긍정적으로 생각하도록 노력해야 한다. (try to feel, about yourself, good, must, you)

→ _____

3 People

A 영어는 우리말로, 우리말은 영어로 쓰시오.

1 unique _____

2 raw _____

3 smell _____

4 take a picture _____

5 be famous for _____

6 ~을 포함하여 _____

7 노숙자의 _____

8 ~로 만들어진 _____

9 (소리 내어) 웃다 _____

10 ~의 생각을 바꾸다 _____

B 〈보기〉와 같이 우리말과 같은 뜻이 되도록 문장을 완성하시오.

> **보기** 그녀는 그에게 돈을 주었다. (she, he, money)
>
> ➜ She gave him money. _____

1 Kevin은 그녀에게 편지를 주었다. (Kevin, she, a letter)

➜ _____

2 의사는 그에게 약을 주었다. (the doctor, he, some medicine)

➜ _____

3 선생님은 나에게 조언을 해 주셨다. (my teacher, I, advice)

➜ _____

C 우리말과 같은 뜻이 되도록 주어진 단어를 배열하여 문장을 완성하시오.

1 그녀는 독특한 패션 감각으로 잘 알려져 있다. (fashion sense, she, well known for, her, unique, is)

➜ _____

2 이 작은 이야기가 여러분의 생각을 바꿀지도 모른다. (story, your, change, mind, might, little, this)

➜ _____

3 그녀는 날고기로 만든 옷을 입었다. (made of, a dress, she, wore, raw meat)

➜ _____

4 Food

A 영어는 우리말로, 우리말은 영어로 쓰시오.

1 dessert _____
2 almost _____
3 flavor _____
4 try _____
5 turn _____

6 혀 _____
7 ~에 따르면 _____
8 ~을 발명하다 _____
9 ~을 창조하다 _____
10 유명한 _____

B 〈보기〉와 같이 우리말과 같은 뜻이 되도록 문장을 완성하시오.

> **보기** 무엇이 그 아이스크림을 검정색으로 만들까? (the ice cream, black)
> → What makes the ice cream black?

1 무엇이 그녀를 행복하게 만들까? (her, happy)
→ _____

2 무엇이 Jack을 긴장하게 만들까? (Jack, nervous)
→ _____

3 무엇이 그 축구게임을 흥미롭게 만들까? (the soccer game, exciting)
→ _____

C 우리말과 같은 뜻이 되도록 주어진 단어를 배열하여 문장을 완성하시오.

1 시도해 볼만한 많은 다른 맛들이 있다. (to try, flavors, lots of, other, are, there)
→ _____

2 그녀는 왜 그런 이상한 맛을 개발했을까? (did, she, why, flavor, such, strange, a, invent)
→ _____

3 여러분도 맛보고 싶나요? (you, try, would, to, like, some)
→ _____

1 Humor

A 영어는 우리말로, 우리말은 영어로 쓰시오.

1 read _____

2 fall _____

3 any more _____

4 next _____

5 funny _____

6 어리석은 _____

7 여기저기에 _____

8 경고하다 _____

9 놓다 _____

10 올리다 _____

B 〈보기〉와 같이 우리말과 같은 뜻이 되도록 문장을 완성하시오.

> **보기** 농부가 다음에 뭐라고 말할 거라고 생각하나요? (the farmer, say, next)
>
> ➜ What do you think the farmer will say next?

1 Tom이 이번 주말에 무엇을 할 거라고 생각하나요? (Tom, do, this weekend)

➜ _____

2 우리가 저녁으로 무엇을 먹을 거라고 생각하나요? (we, eat, for dinner)

➜ _____

3 내가 학교에 무엇을 입고 갈 거라고 생각하나요? (I, wear, to school)

➜ _____

C 우리말과 같은 뜻이 되도록 주어진 단어를 배열하여 문장을 완성하시오.

1 도토리 하나가 그의 머리 위로 떨어졌다. (an acorn, on, his head, fell)

➜ _____

2 그는 모든 사람들에게 주의를 주기 위해 여기저기로 뛰어다녔다. (here and there, he, ran, to warn, everyone)

➜ _____

3 그는 익살맞은 목소리로 읽었다. (with, read, he, a funny voice)

➜ _____

2 Animals

A 영어는 우리말로, 우리말은 영어로 쓰시오.

1 cartoon _____

2 scare _____

3 true _____

4 actually _____

5 swarm _____

6 아주 작은 _____

7 침, 찌르다 _____

8 고통스러운 _____

9 도망치다 _____

10 작물 _____

B 〈보기〉와 같이 우리말과 같은 뜻이 되도록 문장을 완성하시오.

> **보기** 그것이 바로 몇몇 농부들이 확성기를 사용하는 이유이다. (some farmers, use, loudspeakers)
> → That's why some farmers use loudspeakers.

1 그것이 바로 내가 집에 다시 돌아왔던 이유이다. (I, came back, home)

→ _____

2 그것이 바로 이 신발이 비싼 이유이다. (these shoes, are, so expensive)

→ _____

3 그것이 바로 Ben이 항상 모자를 쓰는 이유이다. (Ben, wears, hats, all the time)

→ _____

C 우리말과 같은 뜻이 되도록 주어진 단어를 배열하여 문장을 완성하시오.

1 코끼리들은 성난 벌에게서 도망간다. (run away, elephants, angry bees, from)

→ _____

2 아주 작은 쥐를 무서워하는 큰 코끼리를 보는 건 재미있다.
(funny, to see a big elephant, it's, a tiny mouse, scared of)

→ _____

3 그들은 훨씬 더 작은 것을 무서워한다. (scared of, smaller, they, much, are, something)

→ _____

A 영어는 우리말로, 우리말은 영어로 쓰시오.

1 teenager _____

2 hope _____

3 pray _____

4 quickly _____

5 keep _____

6 이미, 벌써 _____

7 ~할 때까지 _____

8 일어서다 _____

9 실망하다 _____

10 이루다, 달성하다 _____

B 〈보기〉와 같이 우리말과 같은 뜻이 되도록 문장을 완성하시오.

> **보기** 그녀는 너무 커서 패션모델이 될 수 없었다. (tall, be, a fashion model)
>
> → She was too tall to be a fashion model.

1 나는 너무 피곤해서 양치질을 할 수 없었다. (tired, brush, my teeth)

→ _____

2 그녀는 너무 수줍어해서 말도 못했다. (shy, speak)

→ _____

3 Chris는 너무 바빠서 파티에 갈 수 없었다. (busy, go, to the party)

→ _____

C 우리말과 같은 뜻이 되도록 주어진 단어를 배열하여 문장을 완성하시오.

1 그녀는 키가 커지기를 바랐다. (hoped, she, to, taller, grow)

→ _____

2 그녀는 계속해서 키가 자라고 또 자랐다. (kept growing, she, taller and taller)

→ _____

3 그녀는 실망했지만 절대 포기하지 않았다. (disappointed, she, but, never gave up, was)

→ _____

A 영어는 우리말로, 우리말은 영어로 쓰시오.

1 look at _____   6 최근에 _____

2 condition _____   7 매끄러운 _____

3 take a look _____   8 평평한, 고른 _____

4 seem _____   9 질병 _____

5 mean _____   10 짠, 짭짤한 _____

B 〈보기〉와 같이 우리말과 같은 뜻이 되도록 문장을 완성하시오.

> **보기** 당신의 폐에 질병이 있다는 뜻일 수도 있다. (there's, a disease, in your lungs)
>
> → It can mean there's a disease in your lungs.

1 그가 올 수 없다는 뜻일 수도 있다. (he, cannot, come)

→ _____

2 그 섬에 보물이 있다는 뜻일 수도 있다. (there, are, treasures, on the island)

→ _____

3 우리가 내일 쪽지 시험을 본다는 뜻일 수도 있다. (we, will, have, a pop quiz tomorrow)

→ _____

C 우리말과 같은 뜻이 되도록 주어진 단어를 배열하여 문장을 완성하시오.

1 그들은 평소보다 큰 것 같은가? (usual, seem, they, bigger, do, than)

→ _____

2 그들이 의사에게 무엇을 말할 수 있을까? (can, what, tell, they, a doctor)

→ _____

3 건강한 손톱은 매끄럽고, 분홍색이다. (are, healthy fingernails, and, smooth, pink)

→ _____

1 People

A 영어는 우리말로, 우리말은 영어로 쓰시오.

1 crowded　　_____

2 wait for　　_____

3 honor　　_____

4 ceremony　　_____

5 fall down　　_____

6 즉시, 바로　　_____

7 용감한　　_____

8 잊다　　_____

9 기념하기 위한, 추도의　　_____

10 감동시키다　　_____

B 〈보기〉와 같이 우리말과 같은 뜻이 되도록 문장을 완성하시오.

> **보기** 그 사람을 절대 잊지 말자. (never, forget, the man)
>
> → Let's never forget the man.

1 아침에 일찍 일어나자. (get up, early, in the morning)

→ _____

2 내일 영화 보러 가자. (go, to the movies, tomorrow)

→ _____

3 그것에 관해 너무 많이 걱정하지 말자. (not, worry about, it, too much)

→ _____

C 우리말과 같은 뜻이 되도록 주어진 단어를 배열하여 문장을 완성하시오.

1 한 노인이 선로로 떨어졌다. (onto the tracks, an old man, fell down)

→ _____

2 그는 그 남자를 돕기 위해 뛰어내렸다. (jumped down, the man, to help, he)

→ _____

3 열차는 그 두 남자를 모두 치었다. (the two men, hit, the train)

→ _____

2 Health

Chapter 3

A 영어는 우리말로, 우리말은 영어로 쓰시오.

1 research _____   6 씻다 _____

2 less _____   7 (머리를 샴푸로) 감다 _____

3 natural _____   8 없애다, 제거하다 _____

4 shiny _____   9 전문가 _____

5 according to _____   10 게으른 _____

B 〈보기〉와 같이 우리말과 같은 뜻이 되도록 문장을 완성하시오.

> **보기** 당신은 사람들이 매일 머리를 감아야 한다고 생각하나요? (people, wash, their hair, every day)
>
> → Do you think people should wash their hair every day?

1 당신은 그가 병원에 가야 한다고 생각하나요? (he, go, to see a doctor)

→ _____

2 당신은 제가 지하철을 타야 한다고 생각하나요? (I, take, the subway)

→ _____

3 당신은 우리가 이 책들을 읽어야 한다고 생각하나요? (we, read, these books)

→ _____

C 우리말과 같은 뜻이 되도록 주어진 단어를 배열하여 문장을 완성하시오.

1 그들은 일주일에 약 5번 정도 머리를 감는다. (wash, five times, they, about, their hair, a week)

→ _____

2 머리를 너무 자주 감는 것은 자연적인 기름을 없앤다. (washing, removes, your hair, too often, natural oils)

→ _____

3 우리의 모발을 위해 조금 더 게을러져 보자. (let's, for our hair, be, a little more lazy)

→ _____

A 영어는 우리말로, 우리말은 영어로 쓰시오.

1 achieve _____
2 without _____
3 language _____
4 be satisfied with _____
5 reality _____

6 세계 기록 _____
7 살아있는 _____
8 번역하다 _____
9 시 _____
10 포기하다 _____

B 〈보기〉와 같이 우리말과 같은 뜻이 되도록 문장을 완성하시오.

> **보기** 세계 기록은 성취하기 쉽지 않다. (a world record, easy, achieve)
> → A world record is not easy to achieve.

1 그 문제는 풀기 어렵지 않다. (the problem, difficult, solve)
→

2 그 물은 마시기에 안전하지 않다. (the water, safe, drink)
→

3 그 영화는 이해하기 쉽지 않다. (the movie, easy, understand)
→

C 우리말과 같은 뜻이 되도록 주어진 단어를 배열하여 문장을 완성하시오.

1 당신은 결코 포기해서는 안 된다. (never, you, give up, should)
→

2 그는 계속해서 점점 더 많은 세계 기록을 세우고 있다. (he, making, more world records, keeps)
→

3 그는 왜 그것을 계속해서 하는가? (doing, he, why, it, does, keep)
→

A 영어는 우리말로, 우리말은 영어로 쓰시오.

1 giant   _____

2 crush   _____

3 fall down   _____

4 safe   _____

5 tourist destination _____

6 상상하다   _____

7 인기 있는   _____

8 숨다   _____

9 마을   _____

10 영구적인   _____

B 〈보기〉와 같이 우리말과 같은 뜻이 되도록 문장을 완성하시오.

> **보기** 그것은 무너져 내릴 것처럼 보인다. (it, will, fall down)
>
> ➔ It looks like it will fall down.

1 곧 비가 올 것처럼 보인다. (it, will, rain, soon)

➔ _____

2 Paul은 감기에 걸린 것처럼 보인다. (Paul, has, a cold)

➔ _____

3 너는 즐거운 시간을 보낸 것처럼 보인다. (you, had, a good time)

➔ _____

C 우리말과 같은 뜻이 되도록 주어진 단어를 배열하여 문장을 완성하시오.

1 거대한 돌 아래에 사는 것을 상상할 수 있는가? (living, under a giant rock, can, imagine, you)

➔ _____

2 암석 바로 아래 집들과 상점들이 있다. (houses, shops, there, and, right under the rock, are)

➔ _____

3 그 마을은 보기에 정말 놀랍다. (amazing, the village, truly, to see, is)

➔ _____

1 Entertainment

A 영어는 우리말로, 우리말은 영어로 쓰시오.

1 depressed _____
2 create _____
3 understand _____
4 image _____
5 specially _____

6 ~을 내버려두다, 떠나다 _____
7 전문가 _____
8 소리 _____
9 주인 _____
10 채널 _____

B 〈보기〉와 같이 우리말과 같은 뜻이 되도록 문장을 완성하시오.

> **보기** 당신은 어떻게 그의 기분이 나아지게 만들 수 있나요? (he, feel, better)
>
> → How can you make him feel better? _____

1 당신은 어떻게 그녀를 웃게 만들 수 있나요? (she, laugh)

→ _____

2 당신은 어떻게 그가 자신의 방을 청소하게 만들 수 있나요? (he, clean, his room)

→ _____

3 당신은 어떻게 아이들이 채소를 먹게 만들 수 있나요? (the kids, eat, vegetables)

→ _____

C 우리말과 같은 뜻이 되도록 주어진 단어를 배열하여 문장을 완성하시오.

1 그것은 동물 전문가들에 의해 만들어졌다. (animal experts, by, was, it, created)

→ _____

2 그들은 개를 매우 잘 이해한다. (dogs, very, understand, they, well)

→ _____

3 개들은 특정한 소리를 좋아한다. (like, certain, sounds, dogs)

→ _____

2 Life

A 영어는 우리말로, 우리말은 영어로 쓰시오.

1 outside   _____

2 indoors   _____

3 energetic   _____

4 unfit   _____

5 probably   _____

6 (시간을) 보내다   _____

7 긴 의자, 소파   _____

8 중요한   _____

9 줄이다   _____

10 창의적인   _____

B 〈보기〉와 같이 우리말과 같은 뜻이 되도록 문장을 완성하시오.

> **보기** 우리는 숙제를 하느라 바쁘다. (do, our homework)
> → We are busy doing our homework.

1 그녀는 저녁을 준비하느라 바쁘다. (cook, dinner)

→ _____

2 그는 휴가를 계획하느라 바쁘다. (plan, a holiday)

→ _____

3 Carol은 아기들을 돌보느라 바쁘다. (take care of, her babies)

→ _____

C 우리말과 같은 뜻이 되도록 주어진 단어를 배열하여 문장을 완성하시오.

1 많은 사람들이 지나치게 많은 시간을 실내에서 보낸다. (indoors, many people, too much time, spend)

→ _____

2 그것은 당신을 슬프고 우울하게 만들 수 있다. (you, it, can, make, sad and depressed)

→ _____

3 하루에 얼마나 많은 시간을 밖에서 보내나요? (a day, spend, you, outside, how many hours, do)

→ _____

1 Entertainment

Chapter 4

A 영어는 우리말로, 우리말은 영어로 쓰시오.

1 depressed ____________

2 create ____________

3 understand ____________

4 image ____________

5 specially ____________

6 ~을 내버려두다, 떠나다 ____________

7 전문가 ____________

8 소리 ____________

9 주인 ____________

10 채널 ____________

B 〈보기〉와 같이 우리말과 같은 뜻이 되도록 문장을 완성하시오.

보기 당신은 어떻게 그의 기분이 나아지게 만들 수 있나요? (he, feel, better)
→ How can you make him feel better?

1 당신은 어떻게 그녀를 웃게 만들 수 있나요? (she, laugh)
→ ____________

2 당신은 어떻게 그가 자신의 방을 청소하게 만들 수 있나요? (he, clean, his room)
→ ____________

3 당신은 어떻게 아이들이 채소를 먹게 만들 수 있나요? (the kids, eat, vegetables)
→ ____________

C 우리말과 같은 뜻이 되도록 주어진 단어를 배열하여 문장을 완성하시오.

1 그것은 동물 전문가들에 의해 만들어졌다. (animal experts, by, was, it, created)
→ ____________

2 그들은 개를 매우 잘 이해한다. (dogs, very, understand, they, well)
→ ____________

3 개들은 특정한 소리를 좋아한다. (like, certain, sounds, dogs)
→ ____________

2 Life

A 영어는 우리말로, 우리말은 영어로 쓰시오.

1 outside _____

2 indoors _____

3 energetic _____

4 unfit _____

5 probably _____

6 (시간을) 보내다 _____

7 긴 의자, 소파 _____

8 중요한 _____

9 줄이다 _____

10 창의적인 _____

B 〈보기〉와 같이 우리말과 같은 뜻이 되도록 문장을 완성하시오.

> **보기** 우리는 숙제를 하느라 바쁘다. (do, our homework)
>
> → We are busy doing our homework.

1 그녀는 저녁을 준비하느라 바쁘다. (cook, dinner)

→ _____

2 그는 휴가를 계획하느라 바쁘다. (plan, a holiday)

→ _____

3 Carol은 아기들을 돌보느라 바쁘다. (take care of, her babies)

→ _____

C 우리말과 같은 뜻이 되도록 주어진 단어를 배열하여 문장을 완성하시오.

1 많은 사람들이 지나치게 많은 시간을 실내에서 보낸다. (indoors, many people, too much time, spend)

→ _____

2 그것은 당신을 슬프고 우울하게 만들 수 있다. (you, it, can, make, sad and depressed)

→ _____

3 하루에 얼마나 많은 시간을 밖에서 보내나요? (a day, spend, you, outside, how many hours, do)

→ _____

3 Information

A 영어는 우리말로, 우리말은 영어로 쓰시오.

1 problem _____

2 result _____

3 score _____

4 as a result _____

5 tea _____

6 연구원 _____

7 해결하다 _____

8 흐르다 _____

9 반면에 _____

10 기억하다 _____

B 〈보기〉와 같이 우리말과 같은 뜻이 되도록 문장을 완성하시오.

> **보기** 한 그룹이 다른 그룹보다 훨씬 더 잘했다. (one group, did, the other)
> ➜ One group did much better than the other. _____

1 그는 형보다 훨씬 더 운전을 잘한다. (he, drives, his brother)

➜ _____

2 그 여배우는 사진보다 훨씬 더 나아 보인다. (the actress, looks, her picture)

➜ _____

3 새로운 학교는 이전 학교보다 훨씬 더 좋았다. (the new school, was, the old one)

➜ _____

C 우리말과 같은 뜻이 되도록 주어진 단어를 배열하여 문장을 완성하시오.

1 학생들은 수학 문제를 풀었다. (solved, math problems, the students)

➜ _____

2 초콜릿은 피가 뇌에서 순환하는 것을 돕는다. (in the brain, helps, flow, chocolate, blood)

➜ _____

3 뇌가 더 잘 움직이고 지치지 않는다. (get tired, and, works better, the brain, doesn't)

➜ _____

A 영어는 우리말로, 우리말은 영어로 쓰시오.

1	vacation	_____
2	forest	_____
3	name	_____
4	pure	_____
5	mean	_____

6	장소	_____
7	정복하다	_____
8	부유한, 풍요로운	_____
9	여행하다	_____
10	조사	_____

B 〈보기〉와 같이 우리말과 같은 뜻이 되도록 문장을 완성하시오.

> **보기** 찬 물을 한 잔 마시고 싶나요? (drink, a glass of, water)
>
> → Would you like to drink a glass of water?

1 그녀에게 메시지를 남기고 싶나요? (leave a message, for her)

→ _____

2 외식을 하고 싶나요? (eat out)

→ _____

3 우리와 영화를 보고 싶나요? (watch a movie, with us)

→ _____

C 우리말과 같은 뜻이 되도록 주어진 단어를 배열하여 문장을 완성하시오.

1 코스타리카로 여행을 가고 싶나요? (take a trip, like, would, to Costa Rica, you, to)

→ _____

2 코스타리카는 아름다운 자연이 풍부하다. (rich in, is, Costa Rica, beautiful nature)

→ _____

3 코스타리카 사람들은 미소로 유명하다. (famous, smiling, are, Costa Ricans, for)

→ _____

1 Mysteries

A 영어는 우리말로, 우리말은 영어로 쓰시오.

1 ghost _____

2 mean _____

3 recently _____

4 explain _____

5 fresh _____

6 믿다 _____

7 냄새 _____

8 익숙한 _____

9 다른 아무도 ~ 않다 _____

10 죽다 _____

B 〈보기〉와 같이 우리말과 같은 뜻이 되도록 문장을 완성하시오.

> **보기** 귀신 냄새를 맡아 본 적이 있나요? (smell, a ghost)
>
> → Have you ever smelled a ghost?

1 남미에 가본 적이 있나요? (be, to South America)

→ _____

2 유명한 영화배우를 본 적이 있나요? (see, any famous movie stars)

→ _____

3 다른 언어를 배워 본 적이 있나요? (learn, other languages)

→ _____

C 우리말과 같은 뜻이 되도록 주어진 단어를 배열하여 문장을 완성하시오.

1 우리 할머니는 귀신이 존재한다고 믿었다. (believed in, ghosts, my grandmother)

→ _____

2 몇몇 귀신들은 신선한 꽃 같은 냄새가 난다. (fresh flowers, some ghosts, smell like)

→ _____

3 다른 사람은 누구도 귀신의 냄새를 맡을 수 없었다. (could, the ghost, nobody else, smell)

→ _____

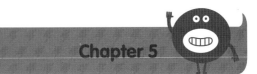

2 Animals

A 영어는 우리말로, 우리말은 영어로 쓰시오.

1 group _____

2 far away _____

3 same _____

4 tell _____

5 sense _____

6 시력 _____

7 지내다, 머무르다 _____

8 함께 _____

9 중요하게 _____

10 차이, 다름 _____

B 〈보기〉와 같이 우리말과 같은 뜻이 되도록 문장을 완성하시오.

> **보기** 그들은 멀리까지 수영을 해야 한다. (swim, far away)
>
> ➔ They have to swim far away.

1 나는 일찍 일어나야 한다. (wake up, early)

➔

2 그들은 정각에 도착해야 한다. (arrive, on time)

➔

3 Sam은 숙제를 끝마쳐야 한다. (finish, his homework)

➔

C 우리말과 같은 뜻이 되도록 주어진 단어를 배열하여 문장을 완성하시오.

1 펭귄 무리 안에는 수천 마리의 새끼들이 있다. (are, thousands of, there, babies, in a penguin colony)

➔

2 이것이 펭귄 가족이 함께 지내는 방법이다. (how, this, is, penguin families, together, stay)

➔

3 모든 새끼들은 똑같이 생겼다. (the same, the babies, all, look)

➔

3 Music

Chapter 5

A 영어는 우리말로, 우리말은 영어로 쓰시오.

1 talented   _____
2 accident   _____
3 never   _____
4 design   _____
5 practice   _____

6 ~하게 하다   _____
7 녹음, 앨범   _____
8 굉장한, 놀라운   _____
9 비극   _____
10 성공   _____

B 〈보기〉와 같이 우리말과 같은 뜻이 되도록 문장을 완성하시오.

> **보기** 그는 얼마나 놀라운가! (awesome, he, is)
> ➔ How awesome he is!

1 그는 참 잘생겼구나! (handsome, he, is)
➔ _____

2 그녀는 정말 빨리 달리는구나! (fast, she, runs)
➔ _____

3 이 꽃들은 얼마나 아름다운가! (beautiful, these flowers, are)
➔ _____

C 우리말과 같은 뜻이 되도록 주어진 단어를 배열하여 문장을 완성하시오.

1 그는 자동차 사고로 왼쪽 팔을 잃었다. (his left arm, he, in a car accident, lost)
➔ _____

2 그는 다시는 드럼을 연주할 수 없을 것이다. (would never, he, play, again, the drums)
➔ _____

3 그는 비극을 성공으로 바꿔 놓았다. (tragedy, turned, into, he, success)
➔ _____

A 영어는 우리말로, 우리말은 영어로 쓰시오.

1 still   _____

2 build   _____

3 measure   _____

4 steel   _____

5 amusement park   _____

6 롤러코스터   _____

7 놀이기구, 탈 것   _____

8 길이에 있어서   _____

9 보호하다   _____

10 지진   _____

B 〈보기〉와 같이 우리말과 같은 뜻이 되도록 문장을 완성하시오.

> **보기** 저것은 5층짜리 건물만큼 높다. (That, is, tall, a five-story building)
>
> → That is as tall as a five-story building.

1 Rebecca는 그녀의 엄마만큼 요리를 잘 한다. (Rebecca, cooks, well, her mother)

→ _____

2 그 문제는 네가 생각하는 것만큼 쉽지 않다. (the problem, isn't, easy, you think)

→ _____

3 그 모자는 그가 말한 것만큼 비싸지는 않았다. (the cap, wasn't, expensive, he said)

→ _____

C 우리말과 같은 뜻이 되도록 주어진 단어를 배열하여 문장을 완성하시오.

1 무엇이 롤러코스터를 재미있게 만드는 것일까? (a roller coaster, exciting, what, makes)

→ _____

2 당신은 특별한 고글을 써야 한다. (have to, goggles, you, special, wear)

→ _____

3 여러분은 어떤 것을 타고 싶나요? (would, which one, to, ride, you, like)

→ _____

1 Psychology

A 영어는 우리말로, 우리말은 영어로 쓰시오.

1 fear _____   6 흔한 _____

2 be afraid of _____   7 ~을 겁나게 하다 _____

3 enclosed _____   8 악랄한, 사악한 _____

4 space _____   9 의상 _____

5 example _____   10 끔찍한 _____

B 〈보기〉와 같이 우리말과 같은 뜻이 되도록 문장을 완성하시오.

> **보기** 어떤 사람들은 작은 공간에 있는 것을 무서워한다. (some people, be, in small spaces)
> ➜ Some people are afraid of being in small spaces.

1 나는 날아다니는 곤충을 무서워한다. (I, fly, bugs)

➜ _____

2 내 여동생은 혼자 있는 것을 무서워한다. (my sister, be, alone)

➜ _____

3 많은 한국인들이 외국인을 만나는 것을 무서워한다. (many Koreans, meet, foreigners)

➜ _____

C 우리말과 같은 뜻이 되도록 주어진 단어를 배열하여 문장을 완성하시오.

1 거의 모든 사람이 무엇인가에 대한 공포심을 지니고 있다. (a fear, everyone, almost, of something, has)

➜ _____

2 어떤 사람들은 산타클로스를 무서워한다. (some people, Santa Claus, terrified of, are)

➜ _____

3 크리스마스는 그들에게 가장 끔찍한 휴일임이 틀림없다.
(be, must, Christmas, the most terrible, for them, holiday)

➜ _____

2 Stories

Chapter 6

A 영어는 우리말로, 우리말은 영어로 쓰시오.

1 receive _____

2 exciting _____

3 human _____

4 well–known _____

5 area _____

6 헤엄쳐 오르다 _____

7 뛰어들다 _____

8 거대한 _____

9 ~을 빤히 쳐다보다 _____

10 알아차리다 _____

B 〈보기〉와 같이 우리말과 같은 뜻이 되도록 문장을 완성하시오.

> **보기** 선물을 받는 것은 항상 신이 난다. (receive, a gift, always, exciting)
> → Receiving a gift is always exciting. _____

1 영화를 보는 것은 내 취미이다. (watch, movies, my hobby)

→ _____

2 매일 운동을 하는 것이 몸에 좋다. (exercise, every day, good for your health)

→ _____

3 영어를 배우는 것은 매우 중요하다. (learn, English, very important)

→ _____

C 우리말과 같은 뜻이 되도록 주어진 단어를 배열하여 문장을 완성하시오.

1 그녀는 돌고래를 보면서 보트 위에 있었다. (a boat watching, on, a dolphin, was, she)

→ _____

2 그는 그 물고기를 배 안으로 던졌다. (tossed, he, the fish, into the boat)

→ _____

3 첫 번째 물고기는 그녀를 위한 선물이었다. (her, the first fish, for, a gift, was)

→ _____

A 영어는 우리말로, 우리말은 영어로 쓰시오.

1 go on vacation _____
2 enjoy _____
3 either _____
4 alone _____
5 need _____

6 완벽한 _____
7 ~하는 동안 _____
8 뿐만 아니라 _____
9 곳곳에 _____
10 다양한, ~의 범위의 _____

B 〈보기〉와 같이 우리말과 같은 뜻이 되도록 문장을 완성하시오.

> **보기** 당신은 더는 걱정할 필요가 없습니다. (worry, any more)
> → You don't need to worry any more.

1 당신은 쇼핑을 하러 갈 필요가 없습니다. (go, shopping)
→ _____

2 그녀는 방을 청소할 필요가 없습니다. (clean, her room)
→ _____

3 당신은 은행에 갈 필요가 없습니다. (go, to the bank)
→ _____

C 우리말과 같은 뜻이 되도록 주어진 단어를 배열하여 문장을 완성하시오.

1 휴가 가는 것이 어려우시죠, 그렇지 않나요? (is, going on vacation, hard, it, isn't)
→ _____

2 당신은 애완동물을 집에 혼자 남겨 둘 수 없습니다. (can't, your pet, you, alone, in your house, leave)
→ _____

3 저희가 당신의 애완동물을 위한 완벽한 장소입니다. (the place perfect, we're, for, your pet)
→ _____

4 Information

A 영어는 우리말로, 우리말은 영어로 쓰시오.

1 separate _____ 　　6 향상시키다 _____

2 control _____ 　　7 전문가 _____

3 certain _____ 　　8 연습하다 _____

4 workout _____ 　　9 창의적인 _____

5 be amazed at _____ 　　10 지능 _____

B 〈보기〉와 같이 우리말과 같은 뜻이 되도록 문장을 완성하시오.

> **보기** 저글링은 뇌가 더 잘 작동하게 해 준다. (juggling, the brain, work, better)
>
> → Juggling makes the brain work better. _____

1 아름다운 그림들은 나를 기분 좋게 해 준다. (beautiful pictures, me, feel, good)

→ _____

2 저 모자는 그를 멋있게 보이게 해 준다. (that cap, him, look, nice)

→ _____

3 의사가 나로 하여금 이 약을 먹게 했다. (the doctor, me, take, this medicine)

→ _____

C 우리말과 같은 뜻이 되도록 주어진 단어를 배열하여 문장을 완성하시오.

1 저글링은 뇌를 위한 운동과 같은 것이다. (is, like, juggling, the brain, a workout, for)

→ _____

2 당신의 뇌는 더 창의적이 된다. (more, becomes, your brain, creative)

→ _____

3 너는 전문가가 될 필요는 없다. (don't, you, to be, need, a professional)

→ _____

A 영어는 우리말로, 우리말은 영어로 쓰시오.

1 imagine _____   6 가구 _____

2 upside-down _____   7 ~의 위에 _____

3 inside _____   8 무서워하는, 걱정하는 _____

4 totally _____   9 떨어지다 _____

5 under _____   10 불편한 _____

B 〈보기〉와 같이 우리말과 같은 뜻이 되도록 문장을 완성하시오.

> **보기** 너는 네가 위아래가 뒤집힌 집 안에 있는 것을 상상할 수 있는가? (are, in, an upside-down house)
>
> → Can you imagine that you are in an upside-down house?

1 너는 네가 우주여행을 하는 것을 상상할 수 있는가? (travel into, space)

→ _____

2 너는 네가 다른 행성에 사는 것을 상상할 수 있는가? (live on, another planet)

→ _____

3 너는 도로에 교통 표지판이 없는 것을 상상할 수 있는가? (there, is, no traffic sign, on the roads)

→ _____

C 우리말과 같은 뜻이 되도록 주어진 단어를 배열하여 문장을 완성하시오.

1 바닥이 너의 머리 위에 있다. (up above, is, the floor, your head)

→ _____

2 천장이 당신의 발아래에 있다. (under, the ceiling, your feet, is)

→ _____

3 무거운 사물들 아래를 걷는 것은 무섭다. (to walk, scary, it's, under the heavy things)

→ _____

2 Myth

A 영어는 우리말로, 우리말은 영어로 쓰시오.

1 common _____   6 날씨, 기상 _____

2 belief _____   7 자라다, 커지다 _____

3 fact _____   8 두꺼운 _____

4 mousetrap _____   9 외출하다 _____

5 catch _____   10 감기 _____

B 〈보기〉와 같이 우리말과 같은 뜻이 되도록 문장을 완성하시오.

> **보기** 얼마나 많은 사실이 당신을 놀라게 했는가? (fact, surprised, you)
>
> → How many facts surprised you?

1 얼마나 많은 책이 너의 가방 안에 있는가? (book, are there, in your bag)

→ _____

2 그 정원에 얼마나 사과나무가 있는가? (apple tree, are there, in the garden)

→ _____

3 얼마나 많은 사람들이 그 박물관을 방문하는가? (person, visit, the museum)

→ _____

C 우리말과 같은 뜻이 되도록 주어진 단어를 배열하여 문장을 완성하시오.

1 영국의 총 강수량은 한국의 총 강수량보다 훨씬 작다. (Korea's, than, England's total rainfall, less, is, much)

→ _____

2 빗속에 나가지 마라, 그렇지 않으면 감기에 걸릴 것이다. (you'll, go out, catch a cold, in the rain, or, don't)

→ _____

3 면도는 당신의 털을 더 두껍게 자라게 한다. (grow, makes, thicker, shaving, your hair)

→ _____

3 Animals

A 영어는 우리말로, 우리말은 영어로 쓰시오.

1 all the time _____
2 especially _____
3 real _____
4 discover _____
5 male _____

6 최근에 _____
7 마음을 끌다 _____
8 선호하다 _____
9 목소리 _____
10 선택하다 _____

B 〈보기〉와 같이 우리말과 같은 뜻이 되도록 문장을 완성하시오.

> **보기** Mickey Mouse는 노래하는 것을 정말 좋아한다. (sing)
> → Mickey Mouse loves to sing.

1 나는 밤에 책 읽는 것을 정말 좋아한다. (read, books, at night)
   → _____

2 그녀는 전 세계를 여행 다니는 것을 정말 좋아한다. (travel, around the world)
   → _____

3 Ryan은 파란 셔츠를 입는 것을 정말 좋아한다. (wear, blue shirts)
   → _____

C 우리말과 같은 뜻이 되도록 주어진 단어를 배열하여 문장을 완성하시오.

1 쥐가 노래하는 것을 들어본 적이 있는가? (a mouse, have, ever heard, you, sing)
   → _____

2 만화 속의 쥐는 항상 노래를 부른다. (sing, mice in cartoons, all the time)
   → _____

3 수컷은 암컷 짝의 마음을 끌기 위해 노래를 부른다. (to attract, sing, the male mice, female partners)
   → _____

4 Sports

A 영어는 우리말로, 우리말은 영어로 쓰시오.

1 score _____

2 increase _____

3 point _____

4 lie _____

5 thus _____

6 한 번에 _____

7 혼란스러운 _____

8 곧, 이내 _____

9 형태, 모양 _____

10 발명하다, 고안하다 _____

B 〈보기〉와 같이 우리말과 같은 뜻이 되도록 문장을 완성하시오.

> **보기** 축구 점수는 이해하기 쉽다. (soccer scores, easy, understand)
>
> → Soccer scores are easy to understand.

1 이 책은 읽기 어렵다. (this book, difficult, read)

→ _____

2 이 상자는 들고 다니기에 무겁다. (this box, heavy, carry around)

→ _____

3 프랑스어는 배우기에 쉽지 않다. (French, not, easy, learn)

→ _____

C 우리말과 같은 뜻이 되도록 주어진 단어를 배열하여 문장을 완성하시오.

1 점수는 훨씬 더 복잡해진다. (become, more confusing, the scores, even)

→ _____

2 테니스 치는 법을 배워라, 그러면 곧 이해하게 될 것이다.
(play tennis, to, learn, you, and, soon, will, understand)

→ _____

3 테니스는 프랑스에서 고안되었다. (in France, Tennis, invented, was)

→ _____

1 History

A 영어는 우리말로, 우리말은 영어로 쓰시오.

1 ancient _____
2 gather _____
3 mix _____
4 frozen _____
5 emperor _____

6 즐기다 _____
7 보내다 _____
8 노예 _____
9 A를 갖고 돌아오다 _____
10 호화로움, 사치 _____

B 〈보기〉와 같이 우리말과 같은 뜻이 되도록 문장을 완성하시오.

> **보기** 그 달콤한 맛은 우리를 행복하게 해 준다. (the sweet taste, us, happy)
> → The sweet taste makes us happy. _____

1 휴가를 갖는 것은 나를 신나게 해 준다. (having a vacation, me, excited)
→ _____

2 우유 한 잔이 나를 따뜻하게 해 준다. (a cup of milk, me, warm)
→ _____

3 새 의자는 그녀를 불편하게 했다. (the new chair, her, uncomfortable)
→ _____

C 우리말과 같은 뜻이 되도록 주어진 단어를 배열하여 문장을 완성하시오.

1 아이스크림은 수많은 사람들에게 사랑을 받는다. (millions of people, is loved by, ice cream)
→ _____

2 그들은 과일에 그 눈을 섞었다. (with, mixed, they, the snow, fruit)
→ _____

3 왕과 여왕만이 아이스크림을 먹을 수 있었다. (eat, could, kings and queens, only, ice cream)
→ _____

A 영어는 우리말로, 우리말은 영어로 쓰시오.

1 suit _____ 6 흔한 _____

2 make fun of _____ 7 운이 좋은 _____

3 change _____ 8 우스운 _____

4 actually _____ 9 여권 _____

5 definitely _____ 10 목록에 포함시키다 _____

B 〈보기〉와 같이 우리말과 같은 뜻이 되도록 문장을 완성하시오.

> **보기** 너는 그것이 너에게 어울린다고 생각하니? (it, suits, you)
> → Do you think it suits you?

1 너는 내일 비가 올 거라고 생각하니? (it, will, rain, tomorrow)

→ _____

2 너는 그들이 무례하다고 생각하니? (they, are, rude)

→ _____

3 너는 그가 파티에 올 거라고 생각하니? (he, will, come, to the party)

→ _____

C 우리말과 같은 뜻이 되도록 주어진 단어를 배열하여 문장을 완성하시오.

1 그의 이름은 너무 흔하고 재미없었다. (too common, his name, and, was, too boring)

→ _____

2 그는 덜 흔한 이름을 원했다. (less, a, common, wanted, name, he)

→ _____

3 그는 실제로 자신의 이름을 바꿨다. (changed, he, his name, actually)

→ _____

3 Nature

Chapter 8

A 영어는 우리말로, 우리말은 영어로 쓰시오.

1 health _____ 6 ~을 먹어 없애다 _____

2 cause _____ 7 구하다 _____

3 raise _____ 8 오염 _____

4 produce _____ 9 ~에 영향을 미치다 _____

5 planet _____ 10 상당한 양의 _____

B 〈보기〉와 같이 우리말과 같은 뜻이 되도록 문장을 완성하시오.

> **보기** 육식보다 채식을 좀 더 하는 것이 어때? (eat, more vegetables, than, meat)
> → How about eating more vegetables than meat?

1 중식당에 가는 것이 어때? (go, to, a Chinese restaurant)

→ _____

2 일요일 7시에 만나는 것이 어때? (meet, at seven, on Sunday)

→ _____

3 10분 동안 쉬는 것이 어때? (take a break, for ten minutes)

→ _____

C 우리말과 같은 뜻이 되도록 주어진 단어를 배열하여 문장을 완성하시오.

1 음식은 우리의 건강에 영향을 준다. (the food, health, our, affects)

→ _____

2 육류를 너무 많이 섭취하는 것은 심장병을 유발한다. (too much meat, eating, heart disease, causes)

→ _____

3 온실 가스는 지구를 점점 더 뜨겁게 만들고 있다.
(greenhouse gases, hotter and hotter, are making, our planet)

→ _____

A 영어는 우리말로, 우리말은 영어로 쓰시오.

1 imagine   _____
2 depressing   _____
3 healing   _____
4 calm   _____
5 mixture   _____

6 유지하다   _____
7 따분한, 재미없는   _____
8 사고   _____
9 이상적인, 완벽한   _____
10 아프다   _____

B 〈보기〉와 같이 우리말과 같은 뜻이 되도록 문장을 완성하시오.

> **보기** 색은 정말 특별한 능력을 가지고 있구나! (special, powers, colors, have)
> → What special powers colors have!   .

1 그들은 정말 훌륭한 소녀들이구나! (good, girls, they, are)

→ _____

2 그것은 정말 굉장한 영화구나! (a, great, movie, it, is)

→ _____

3 너는 정말 용감한 사람이구나! (a, brave, man, you, are)

→ _____

C 우리말과 같은 뜻이 되도록 주어진 단어를 배열하여 문장을 완성하시오.

1 색이 없는 세상을 상상해 봐라. (a world, try, imagine, to, without colors)

→ _____

2 숲 속에서 산책을 하는 것이 이상적이다. (a forest, walking, is, ideal, in)

→ _____

3 라벤더가 침실용으로 인기 있는 색상이다. (lavender, a popular color, is, for bedrooms)

→ _____

1 World News

A 영어는 우리말로, 우리말은 영어로 쓰시오.

1 poor _____

2 walk around _____

3 raise _____

4 save _____

5 through _____

6 ~동안 _____

7 낯선 사람 _____

8 짝, 켤레 _____

9 바라다 _____

10 여행, 여정 _____

B 〈보기〉와 같이 우리말과 같은 뜻이 되도록 문장을 완성하시오.

> **보기** 걷는 것이 가난한 아이들을 도울 수 있다는 것을 알고 있나요? (walking, can, help, poor children)
> ➔ Do you know that walking can help poor children?

1 그녀가 일본에서 온 것을 알고 있나요? (she, is, from, Japan)

➔ _____

2 네 가방이 열려 있는 것을 알고 있니? (your bag, is, open)

➔ _____

3 큰 차를 운전하는 것이 쉽지 않다는 것을 알고 있나요? (driving a big car, isn't, easy)

➔ _____

C 우리말과 같은 뜻이 되도록 주어진 단어를 배열하여 문장을 완성하시오.

1 그는 가족에게 작별을 고했다. (he, to, goodbye, his family, said)

➔ _____

2 낯선 사람들이 그에게 음식을 제공했다. (strangers, him, gave, food)

➔ _____

3 그는 신발에만 돈을 썼다. (money, only spent, he, shoes, on)

➔ _____

2 Stories

A 영어는 우리말로, 우리말은 영어로 쓰시오.

1	successful	_____	6	(시간을) 보내다	_____
2	character	_____	7	사고	_____
3	life	_____	8	대답하다	_____
4	record	_____	9	갑자기	_____
5	in a coma	_____	10	깨어 있는	_____

B 〈보기〉와 같이 우리말과 같은 뜻이 되도록 문장을 완성하시오.

> **보기** 그는 이 익살스런 목소리들을 녹음하는 데 인생을 보냈다. (his life, record, these funny voices)
>
> → He spent his life recording these funny voices.

1 그는 식당을 찾는 데 한 시간을 보냈다. (one hour, look for, a restaurant)

→ _____

2 나는 영어책을 읽는 데 시간을 보냈다. (my time, read, English books)

→ _____

3 그녀는 정원의 잡초를 뽑는 데 얼마의 시간을 보냈다. (some time, pull, weed, in the garden)

→ _____

C 우리말과 같은 뜻이 되도록 주어진 단어를 배열하여 문장을 완성하시오.

1 그는 몇 주 동안 혼수상태에 있었다. (in a coma, he, for many weeks, was)

→ _____

2 그의 가족은 그의 곁을 지켰다. (stayed, his family, his side, by)

→ _____

3 그들은 줄곧 그에게 말을 걸었다. (to, talked, they, all the time, him)

→ _____

A 영어는 우리말로, 우리말은 영어로 쓰시오.

1 forever _____
2 exist _____
3 unique _____
4 creature _____
5 ocean _____

6 죽지 않는 _____
7 A를 B로 변화시키다 _____
8 아주 작은 _____
9 잡다 _____
10 먹이 _____

B 〈보기〉와 같이 우리말과 같은 뜻이 되도록 문장을 완성하시오.

> 보기 그들은 자신을 아주 작은 알로 바꿀 수 있다. (can, themselves, tiny eggs)
> → They can change themselves into tiny eggs.

1 제가 당신을 위해 그 지폐를 동전으로 바꿔 줄 수 있어요. (can, the bill, coins, for you)
→ _____

2 마법사는 종잇조각들을 비둘기로 바꿨다. (the magician, pieces of paper, a pigeon)
→ _____

3 그녀는 빨간 셔츠를 파란 셔츠로 바꿨다. (the red shirt, the blue one)
→ _____

C 우리말과 같은 뜻이 되도록 주어진 단어를 배열하여 문장을 완성하시오.

1 그들은 책과 영화에서만 존재한다. (only exist, they, and movies, in books)
→ _____

2 그들은 자라서 아주 작은 폴립으로 변한다. (and change, grow, they, tiny polyps, into)
→ _____

3 그들은 처음부터 다시 그 주기를 시작한다. (start, they, all over again, the cycle)
→ _____

A 영어는 우리말로, 우리말은 영어로 쓰시오.

1 move _____

2 come into _____

3 strangely _____

4 make friends _____

5 get better _____

6 당연한 _____

7 외로운 _____

8 공통으로 _____

9 유지하다 _____

10 친절한 _____

B 〈보기〉와 같이 우리말과 같은 뜻이 되도록 문장을 완성하시오.

> **보기** 나는 학교에 가고 싶지 않다. (go, to school)
>
> → I don't want to go to school.

1 그녀는 일찍 자고 싶지 않다. (go to sleep, early)

→ _____

2 나는 피아노 연주를 하고 싶지 않다. (play, the piano)

→ _____

3 그들은 오늘밤 파티에 가고 싶지 않다. (go, to the party, tonight)

→ _____

C 우리말과 같은 뜻이 되도록 주어진 단어를 배열하여 문장을 완성하시오.

1 저는 친구를 전혀 만들 수 없었습니다. (friends, make, couldn't, at all, I)

→ _____

2 당신의 반 친구에게서 공통점을 찾아보세요. (in common, things, find, with your classmates)

→ _____

3 그는 당신과 친구가 되는 것을 좋아할 거예요. (love, would, friends, he, with you, to be)

→ _____

1 Stories

A 영어는 우리말로, 우리말은 영어로 쓰시오.

1 badly   _____
2 damage   _____
3 hardly ever   _____
4 still   _____
5 filmmaker   _____

6 결혼하다   _____
7 (병에) 걸리다   _____
8 호흡하다   _____
9 불행한   _____
10 연속, 시리즈   _____

B 〈보기〉와 같이 우리말과 같은 뜻이 되도록 문장을 완성하시오.

> **보기** 그들은 세 살이었을 때 소아마비에 걸렸다. (were, three, caught, polio)
> → When they were three, they caught polio.

1 내가 일곱 살이었을 때 나는 그 자전거를 샀다. (was, seven, bought, the bike)

→ _____

2 그녀가 아팠을 때, 내가 돌봐 주었다. (was, sick, looked after, her)

→ _____

3 그가 학교에서 돌아왔을 때, 그는 매우 피곤해 보였다. (came back, from school, looked, very tired)

→ _____

C 우리말과 같은 뜻이 되도록 주어진 단어를 배열하여 문장을 완성하시오.

1 그들은 47년 동안 함께 살고 있다. (have, they, for 47 years, lived together)

→ _____

2 그들은 기계 없이는 숨을 쉴 수 없다. (can't, they, breathe, without machines)

→ _____

3 그들은 항상 웃고 농담을 한다. (laugh, they, all the time, joke, and)

→ _____

2 Health

A 영어는 우리말로, 우리말은 영어로 쓰시오.

1 harm _____   6 아주 작은 _____

2 cause _____   7 세균 _____

3 rub _____   8 보호하다 _____

4 illness _____   9 재채기하다 _____

5 drop _____   10 비누 _____

B 〈보기〉와 같이 우리말과 같은 뜻이 되도록 문장을 완성하시오.

> **보기** 손을 씻을 수 있을 때마다 손을 씻어라. (wash, your hands)
> → Wash your hands whenever you can.

1 책을 읽을 수 있을 때마다 책을 읽어라. (read, a book)

→ _____

2 운동을 할 수 있을 때마다 운동을 해라. (do, some exercise)

→ _____

3 다른 사람을 도울 수 있을 때마다 다른 사람을 도와라. (help, other people)

→ _____

C 우리말과 같은 뜻이 되도록 주어진 단어를 배열하여 문장을 완성하시오.

1 당신의 몸은 놀랍고 튼튼하다. (your body, amazing, is, strong, and)

→ _____

2 세균은 감기와 많은 다른 질병을 일으킨다. (cause, germs, and, the flu, many other illnesses)

→ _____

3 당신의 책상과 키보드를 깨끗하게 유지하라. (clean, your desk, keyboard, keep, and)

→ _____

3 Issue

A 영어는 우리말로, 우리말은 영어로 쓰시오.

1 find out _____

2 keep in mind _____

3 exactly _____

4 claim _____

5 result _____

6 강 _____

7 측정하다 _____

8 일, 과업 _____

9 다투다, 주장하다 _____

10 받아들이다 _____

B 〈보기〉와 같이 우리말과 같은 뜻이 되도록 문장을 완성하시오.

> **보기** 나일 강은 세상에서 제일 긴 강이다. (the Nile, long, river, in the world)
> → The Nile is the longest river in the world.

1 Chris는 우리 학교에서 가장 큰 학생이다. (Chris, tall, student, in my school)

→ _____

2 샐러드는 이 식당에서 가장 빨리 되는 음식이다. (Salad, fast, meal, in this restaurant)

→ _____

3 이것이 가게에서 가장 아름다운 드레스이다. (this, beautiful, dress, in the shop)

→ _____

C 우리말과 같은 뜻이 되도록 주어진 단어를 배열하여 문장을 완성하시오.

1 누가 맞는지 알아보도록 하자. (who, find out, is, right, let's)

→ _____

2 강을 측정하는 것은 쉬운 일이 아니다. (an easy task, measuring, a river, not, is)

→ _____

3 그 결과가 모든 과학자들에게 받아들여진 것은 아니다. (not, is, accepted, by all scientists, the result)

→ _____

4 Science

A 영어는 우리말로, 우리말은 영어로 쓰시오.

1 ordinary   _____

2 unlike   _____

3 reason   _____

4 article   _____

5 current   _____

6 발명하다   _____

7 ～으로 인해 죽다   _____

8 암   _____

9 창안하다, 만들어 내다   _____

10 ～하게 되다   _____

B 〈보기〉와 같이 우리말과 같은 뜻이 되도록 문장을 완성하시오.

> **보기** 그는 자전거를 타고 농구하는 것을 즐긴다. (ride, his bike, and, play, basketball)
> → He enjoys riding his bike and playing basketball.

1 그녀는 노래를 부르고 춤추는 것을 즐긴다. (sing, and, dance)

→ _____

2 Matthew는 다른 사람들을 도와주는 것을 즐긴다. (help, other people)

→ _____

3 나는 책을 읽고 독후감 쓰는 것을 즐긴다. (read, a book, and, write, a book report)

→ _____

C 우리말과 같은 뜻이 되도록 주어진 단어를 배열하여 문장을 완성하시오.

1 그는 보통의 10대와는 다르다. (ordinary teenagers, he, is, unlike)

→ _____

2 그 돈은 그가 학교를 가도록 도와줄 것이다. (help, will, go, him, to college, the money)

→ _____

3 어떻게 그가 그것을 발명하게 되었을까? (come to, it, did, how, invent, he)

→ _____

새 교과서 반영
중등 독해 시리즈
READING 공감

- 최신 교과서의 학습 내용을 반영한 흥미롭고 유익한 스토리 구성

- 창의, 나눔, 문화, 건강, 과학, 심리, 음식, 직업 등의 다양한 주제

- 독해 실력 및 창의력을 향상시킬 수 있는 객관식, 서술형 문제 수록

- 세상에 이런 일이! 알면 알수록 재미있는 코너, 지식채널 수록

- 마인드맵을 활용한 단계별 스토리텔링 코너, 이미지맵 수록

- 어휘 실력을 탄탄하게 해 주는 코너, Review Test 수록

- 어휘, 문장 쓰기 실력을 향상시킬 수 있는 서술형 워크북 제공

www.nexusEDU.kr
MP3 무료 다운로드

넥서스 중등 영어
공감시리즈로
공부감각을
키우세요!

	초1	초2	초3	초4	초5	초6	중1	중2	중3	고1	고2	고3

Writing

- 공감 영문법+쓰기 1~2
- 도전만점 중등내신 서술형 1~4
- 영어일기 영작패턴 1-A, B · 2-A, B
- Smart Writing 1~2

Reading

- Reading 101 1~3
- Reading 공감 1~3
- This Is Reading Starter 1~3
- This Is Reading 전면 개정판 1~4
- This Is Reading 1-1 ~ 3-2 (각 2권; 총 6권)
- 원서 술술 읽는 Smart Reading Basic 1~2
- 원서 술술 읽는 Smart Reading 1~2
- [특급 단기 특강] 구문독해 · 독해유형

Listening

- Listening 공감 1~3
- The Listening 1~4
- After School Listening 1~3
- 도전! 만점 중학 영어듣기 모의고사 1~3
- 만점 적중 수능 듣기 모의고사 20회 · 35회

TEPS

- NEW TEPS 입문편 실전 250⁺ 청해 · 문법 · 독해
- NEW TEPS 기본편 실전 300⁺ 청해 · 문법 · 독해
- NEW TEPS 실력편 실전 400⁺ 청해 · 문법 · 독해
- NEW TEPS 마스터편 실전 500⁺ 청해 · 문법 · 독해

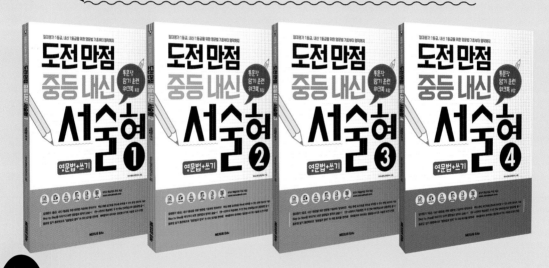

READING 공感

새 교과서 반영
중등 독해 시리즈
공부감각

넥서스영어교육연구소 지음

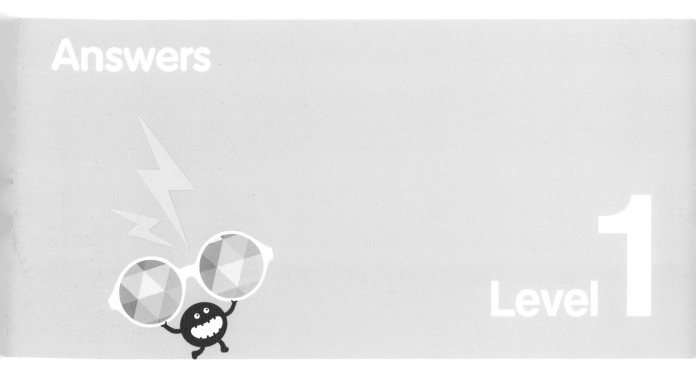

Answers

Level 1

NEXUS Edu

Chapter 01

1 Places
p. 8

1 ③
2 다이아몬드를 발견하면 발견한 사람이 가질 수 있다.

지문 해석

'찾는 사람이 임자다'라는 표현을 알고 있는가? '찾는 사람이 임자'라는 것은 아칸소 주의 다이아몬드 분화구 국립 공원의 규정이다. 여러분은 그곳에서 다이아몬드를 찾아 땅을 팔 수 있고, 만약 찾는다면, 가져도 된다. 대부분의 사람들은 운이 좋지 못하다. 하지만 12세의 Michael Detlaff는 운이 좋았다! 보이 스카우트였던 Michael은 그 공원에 갔고 5.16캐럿짜리 다이아몬드를 발견했다. 놀랍게도, 그는 공원에 들어간 지 단 10분 만에 그 다이아몬드를 발견했다. Michael은 그 다이아몬드에 '신의 영광'이라는 이름을 붙여 주었다. 전문가들은 신의 영광 다이아몬드가 약 15,000달러의 가치가 있다고 한다. 그리고 Michael의 입장료는 겨우 4달러였다.

문제 해설

1 Michael은 국립 공원에서 다이아몬드를 발견했으므로 기쁠 것이다.

① 초조한 ② 겁먹은 ③ 기쁜 ④ 충격을 받은 ⑤ 당황한

2 You can dig for diamonds there, and if you find one, you can keep it.에서 다이아몬드를 발견하면 발견한 사람이 가질 수 있다는 것을 알 수 있다.

어휘 충전

expression n. 표현 rule n. 법칙
dig for ~을 찾아 땅을 파다 find v. ~을 찾다, 발견하다
keep v. 보유하다, 가지다 discover v. ~을 발견하다
amazingly ad. 놀랍게도 enter v. ~에 입장하다
name v. 이름을 지어주다 expert n. 전문가
worth a. 가치가 있는 admission fee 입장료

구문 분석

8행 he **found** / (that) the diamond *just 10 minutes* [**after entering the park**]

: found 뒤에 목적어절을 이끄는 접속사가 생략되었다.
: 「minutes, days, years etc.+after (something)」 어떤 일이 있

은 후로 얼마의 시간이 지났는지 표현하기 위해 쓰는 표현이다. 즉 여기에서는 공원에 입장한 후로 겨우 10분 지났다는 것을 의미한다.

9행 Michael **named** *his diamond* "God's Glory."
: 「name+목적어+목적격보어」 …을 ~라고 이름 붙이다, 명명하다

9행 Experts **say** / (that) the God's Glory Diamond **is worth** about $15,000.
: say 뒤에 say의 목적어절을 이끄는 접속사가 생략되었다.
: be worth ~의 가치가 있다

2 Life
p. 9

1 ②   2 (1) F (2) T (3) F

지문 해석

Laura 선생님께

저는 요즘 매우 우울해요. 저는 여름 방학에 발목이 부러졌어요. 어떤 운동도 할 수 없었고, 체중이 많이 늘었어요. 지금 우리 반 친구들은 저를 '뚱보'라고 불러요. 학교에 가고 싶지 않아요. 제가 무엇을 할 수 있을까요?

우울한 소녀로부터

우울한 소녀에게

당신의 삶에서 가장 중요한 사람은 누구인가요? 당신이죠! 네, 맞아요. 자신에 대해 긍정적으로 생각하도록 노력해야 해요. 체중이 증가한 것은 단지 지금 뿐이에요. 체중을 줄일 수 있어요. 정크푸드를 피하고, 야채를 주로 섭취하세요. 그리고 요가를 해 보세요. 행복한 사람들은 스스로를 잘 돌본답니다. 그러니 자신에게 잘하세요. 그러면 당신은 불필요한 체중을 줄일 수 있을 거예요. 약속해요!

Laura로 부터

문제 해설

1 소녀는 방학 동안 늘어난 체중 때문에 친구들에게 놀림을 받아 우울하다고 말하고 있다.

2 (1) 소녀는 발목이 부러져 운동을 할 수 없었다.
(3) Laura는 소녀에게 체중을 줄이기 위해 정크푸드를 피하고, 야채를 섭취하며, 요가를 해 보라고 이야기했다.

어휘 충전

depressed a. 우울한, 암울한 lately ad. 최근에
break v. ~을 부러뜨리다, 부수다 ankle n. 발목
exercise n. 운동, 연습 gain weight 체중이 늘다

fatty n. 뚱뚱보   gloomy a. 우울한
weight gain 체중 증가, 비만   lose v. ~을 잃다, 줄다
avoid v. ~을 피하다, 막다   junk food 정크푸드 (인스턴트식품)
mostly ad. 주로, 대부분   vegetable n. 채소
take care of ~을 돌보다

구문 분석

2행 I **feel** so *depressed* lately.
: 「feel+형용사」 ~하게 느끼다
cf.) 「감각동사(feel, look, smell 등)+형용사(보어)」
3행 Now my classmates **call** *me* "fatty."
: 「call+목적어+목적격보어」 ~를 …라고 부르다
10행 **avoid** junk food, **eat** mostly vegetables, *and* **try** yoga
: avoid, eat, try는 and로 연결되어 있는 병렬 구조이다.
12행 **be** nice to yourself **and** you will lose the extra weight
: 「명령문+and」 ~해라, 그러면 …할 것이다
cf.) 「명령문+or」 ~해라, 그렇지 않으면 …할 것이다

3 People
p. 10

1 ④   2 ④
3 Do you think Lady Gaga is too strange

지문 해석

Lady Gaga는 슈퍼스타이다. 그녀는 Just Dance와 Poker Face, Born This Way 그리고 더 많은 곡을 포함한 히트곡으로 유명하다. 그녀는 독특한 패션 감각으로도 잘 알려져 있다. 한번은 개구리 인형(Kermit)으로 만든 옷을 입었다. 또 한번은 날고기로 만든 옷을 입었다.
여러분은 Lady Gaga가 너무 이상하다고 생각하는가? 이 소소한 이야기가 여러분의 생각을 바꿔 놓을지도 모른다. 어느 날, Lady Gaga가 노숙자 한 명을 보았다. 그녀는 그에게 다가가 말을 걸고 함께 사진을 찍고 돈을 주었다. 그는 그녀에게 "저는 냄새가 나요."라고 슬프게 말했다. Lady Gaga는 "걱정하지 말아요. 저도 역시 냄새가 나요!"라고 웃으며 말했다.
Lady Gaga는 이상할 수도 있지만, 매우 넓은 마음을 가지고 있을지도 모른다.

문제 해설

1 독특한 겉모습과는 다르게 넓은 마음을 지닌 Lady Gaga에 대한 이야기이다.
① 백지장도 맞들면 낫다.
② 말보다 행동이다.
③ 어려울 때 친구가 진짜 친구다.
④ 사람을 겉모습으로 판단하지 마라.
⑤ 케이크를 먹으면서 동시에 가지고 있을 순 없다.
(두 마리 토끼를 다 잡을 수는 없다.)
2 Lady Gaga는 노숙자에게 다가가 말을 걸고, 함께 사진을 찍고 돈을 주었지만, 옷을 주지는 않았다.
3 「Do you think+주어+동사 ~?」 당신은 ~라고 생각하는가?

어휘 충전

be famous for ~로 유명하다   hit song 히트곡
including prep. ~을 포함하여
be well-known for ~로 잘 알려지다
unique a. 독특한, 특이한   sense n. 감각
once ad. 일찍이, 이전에(한 번)   wear v. 입다
made of ~로 만들어진   raw a. 익지 않은, 날것의
meat n. 고기   strange a. 이상한, 낯선
change one's mind ~의 생각을 바꾸다
homeless a. 노숙자의   take a picture 사진을 찍다
give v. 주다   sadly ad. 슬프게, 유감스럽게도
smell v. ~한 냄새가 나다   laugh v. (소리 내어) 웃다

구문 분석

1행 She **is famous for** *hit songs* [**including** "Just Dance," "Poker Face," "Born This Way," and many more].
: be famous for ~로 유명하다
: including은 전치사로 '~을 포함하여'라는 뜻이고, including ~ many more가 hit songs를 수식한다.
4행 she wore *a dress* [**made of** Kermit the Frog dolls]
: 「made of」는 '~로 만들어진'이라는 뜻으로, made가 이끄는 구가 a dress를 수식한다. made 앞에 「주격 관계대명사+be동사」를 넣어 보면 구조를 이해하기 쉽다.
8행 She **went and talked** to the man, **took** pictures with him, *and* **gave** *him* money.
: went and talked, took, gave가 and로 연결되어 있는 병렬 구조이다.
: 「수여동사(gave)+간접목적어(him)+직접목적어(money)」
~에게 …을 주다

4 Food
p. 12

1 ④   2 (ice cream) flavor   3 ③

이미지 맵
(1) An Unusual Flavor of Ice Cream   (2) charcoal
(3) black   (4) popular

지문 해석
아이스크림은 아마도 세계에서 가장 사랑받는 후식일 것이다. 거의 모든 사람이 그것을 좋아하고, 대부분의 사람에게는 가장 선호하는 한 가지의 맛이 있다. 당신이 가장 좋아하는 아이스크림 맛은 무엇인가? 시도해 볼만한 많은 다른 맛이 있다. 만약 여러분이 일본의 후쿠오카를 방문한다면, 흥미로운 맛의 아이스크림을 먹어볼 수 있다. Kaneko Kaoki가 후쿠오카에 있는 자신의 아이스크림 가게에서 그것을 개발해냈다. 그것은 검정색이다!

그렇다면 무엇이 아이스크림을 검정색으로 만들까? Kaoki 씨는 그 아이스크림을 숯으로 만들었다. 그렇다. 먹을 수 있는 숯으로 만든 아이스크림이다. 그것은 별로 좋아 보이지 않을 수도 있다. 그리고 그 아이스크림은 여러분의 입술과 치아, 혀를 까맣게 만든다. 하지만 이것은 후쿠오카를 방문한 사람들 사이에서는 매우 유명하다. Kaoki 씨에 따르면, 그녀는 하루에 400개가 넘는 아이스크림콘을 판매한다고 한다. 그런데 그녀는 왜 이런 이상한 맛을 개발했을까? 후쿠오카는 탄광으로 유명했다. Kaoki 씨는 후쿠오카의 과거를 기억하려고 그 아이스크림을 만들어냈다. 여러분도 맛보고 싶은가?

문제 해설
1 먹을 수 있는 숯으로 만들어진 특이한 아이스크림에 관한 이야기이다.
① 탄광의 발견
② 새로운 아이스크림 기계
③ 세계에서 가장 사랑받는 후식
④ 이상한 맛의 아이스크림
⑤ 일본에서 가장 잘 팔리는 아이스크림

2 one은 앞에 나온 (ice cream) flavor를 대신하여 사용된 부정대명사이다.

3 (A) '만약 …한다면, ~할 수 있다.'라는 의미이므로 if가 적절하다. (B) 아이스크림이 입술과 치아, 혀를 까맣게 만들지만 관광객에게 매우 유명하다는 내용이 전개되므로 역접의 접속사 but이 적절하다.

어휘 충전
favorite a. 가장 좋아하는   dessert n. 후식   almost ad. 거의
flavor n. 맛   lots of 많은   try v. ~을 시도하다
visit v. ~을 방문하다   invent v. ~을 발명하다, 개발하다
tongue n. 혀   turn v. (~한 상태로) 변하다, 되다
popular a. 유명한   according to ~에 따르면
used to ~이었다, ~하곤 했다   create v. ~을 창조하다
in memory of ~을 기념하여, ~을 기억하려고
would like to ~하고 싶다

구문 분석
1행 **Almost** *everybody* loves it, and **most** *people* have one favorite flavor.
: almost는 '거의'라는 뜻의 부사로 every(형용사)를 수식한다. 「everybody=every+body」로 볼 수 있다.
: most는 '대부분의'라는 뜻의 형용사로 people(명사)를 수식한다.

7행 what **makes** the ice cream black?
「주어(what)+makes+목적어(the ice cream)+목적격보어(형용사: black) ~?」 무엇이 ~을 …하게 만드는가?

9행 it **makes** *your lips, teeth, and tongue* turn black
: 「사역동사(make)+목적어(your lips, teeth, and tongue)+목적격보어(동사원형: turn)」 ~을 …하게 시키다

12행 But why did she invent **such** a *strange* flavor?
: 「such+a(n)+형용사+명사」 그렇게 ~한 …

13행 Fukuoka **used to be** famous for its coal mines.
: 「used to+동사원형」 …하곤 했다

Review Test
p. 14

❶ A ③
B 1 digging 2 rules 3 find 4 worth

❷ A 1 ② 2 ④
B 1 avoid 2 classmate 3 break 4 exercise
   5 ankle

❸ A ①
B 1 to 2 of 3 to 4 for 5 for

❹ A 1 ④ 2 ②
B 1 try 2 popular 3 visit 4 invent 5 dessert

Chapter 02

1 Humor
p. 18

1 (1) T (2) T (3) F　　**2** ⑤

지문 해석

Johnson 선생님께서 오늘 수업시간에 「Chicken Little」을 읽어 주셨다. 이야기 속에서 도토리 하나가 Chicken Little의 머리 위로 떨어졌다. 어리석은 Chicken Little은 하늘이 무너지고 있다고 생각했다. 그는 모든 사람에게 주의를 주기 위해 여기저기로 뛰어다녔다. Chicken Little이 "하늘이 무너지고 있어요! 하늘이 무너지고 있어요!"라고 경고했다. Johnson 선생님은 익살스러운 목소리로 읽어 주셨다. 그러고 나서 선생님은 책을 내려놓고 "자, 여러분, 농부가 다음에 뭐라고 말했을 거라고 생각해요?"라고 물으셨다. 내 친구인 Jack이 손을 들고 "와! 말하는 닭이다!"라고 말했다. 그의 대답 후로 그녀는 더는 읽을 수가 없었다.

문제 해설

1 (3) Johnson 선생님이 학생들에게 감상문을 작성하게 했다는 내용은 없다.

2 Jack의 응답 후에 선생님이 더는 책을 읽을 수 없게 된 것이므로 Jack의 말 뒤에 오는 것이 적절하다.

어휘 충전

read v. ~을 읽다　fall v. 떨어지다　silly a. 어리석은
here and there 여기저기에　warn v. 경고하다
funny a. 우스운　put v. 놓다　next ad. 다음에
raise v. 올리다　any more 더 이상

구문 분석

3행 The silly chicken **thought** / (that) the sky is falling down.

: thought와 the sky 사이에 thought의 목적어절을 이끄는 접속사가 생략되었다.

7행 Then she **put** the book down *and* **asked**, ~

: put과 asked가 and로 연결된 병렬 구조이다. put은 불규칙동사로 현재, 과거, 과거분사의 형태가 동일하다. (put-put-put)

8행 **what** do you think the farmer said next?

: 「Do you think?+What did the farmer say next?」 think는 간접의문을 만들 때 의문사가 문장의 앞으로 나간다.

2 Animals
p. 19

1 ④　　**2** 벌침이 매우 아프기 때문이다.

지문 해석

만화 속의 코끼리는 항상 쥐를 무서워한다. 큰 코끼리가 아주 작은 쥐를 무서워하는 걸 보는 건 재미있다. 하지만 이게 사실일까? 실제로는 아니다. 코끼리는 쥐를 무서워하지 않는다. 그렇지만 그들은 훨씬 더 작은 것을 무서워한다. 그들은 벌을 무서워한다! 왜냐하면, 벌침이 아주 아프기 때문이다. 벌은 코끼리의 눈과 입, 코에 벌침을 쏜다. 그리고 떼 지어 다니는 벌은 새끼 코끼리를 죽일 수도 있다. 그래서 코끼리들은 성난 벌에게서 도망간다. 그것이 바로 몇몇 농부들이 확성기를 사용하는 이유이다. 그들은 떼 지어 다니는 벌의 소리를 확성기를 통해 재생시킨다. 그 소리는 굶주린 코끼리에게 겁을 줘서 농작물에 가까이 가지 않게 한다.

문제 해설

1 벌이 코끼리를 무서워한다는 내용은 언급되지 않았다.

2 Because a bee sting is very painful.이라고 했으므로 벌침이 매우 아프기 때문이라는 것을 알 수 있다.

어휘 충전

cartoon n. 만화　scare v. ~을 겁나게 하다
tiny a. 아주 작은　true a. 사실인, 진실의
actually ad. 실제로　sting n. 찌르기, 침 v. 찌르다, 쏘다
painful a. 고통스러운　swarm v. 떼를 지어 다니다
run away 도망치다　loudspeaker n. 확성기　sound n. 소리
through prep. ~을 통과하여
keep A away from B B에게서 A를 숨기다, 멀리하다
crop n. 작물

구문 분석

1행 **It's** funny **to see** a big elephant scared of a tiny mouse.

: It은 가주어이고, to see 이하가 진주어이다.

3행 But they are scared of *something* **much** smaller.

: -ing, -one, -body로 끝나는 명사는 형용사가 명사 뒤에서 명사를 수식한다.

: much는 '훨씬'이라는 뜻으로 비교급을 강조하며, 그밖에 비교급을 강조하는 부사에는 far, even, a lot, still이 있다.

7행 That's why **some** *farmers* use loudspeakers.

: 수량형용사 some은 수량이 정확하지 않은 명사를 나타낼 때 쓰며, 셀 수 있는 명사의 복수 명사 또는 셀 수 없는 명사와 함께 쓴다.

9행 The sound **scares** hungry elephants *and* **keeps** them away from the crops.

: scares와 keeps가 and로 연결된 병렬 구조이다.

: them은 hungry elephants 지칭한다.

---

3 People
p. 20

1 ⑤   2 She was too tall to be a fashion model
3 ②

지문 해석

Silva는 브라질 출신의 10대이다. 그녀는 슈퍼모델이 되는 것을 꿈꿨다. 그녀는 키가 커지기를 바라고 기도했다. 그리고 그녀는 운이 좋았다. 그녀는 매우 빨리 자랐다. 그녀는 계속해서 자랐다. 그녀는 14세에 이미 키가 2미터를 넘었다. Silva는 집 안에서 서 있을 수 없을 때까지 계속 자랐다. 그녀는 너무 커서 패션모델이 될 수 없었다. 그녀가 모델 회사에 갔을 때마다 그들은 그녀에게 "안 됩니다."라고 말했다. 어떤 디자이너도 그녀가 자신의 옷을 입어 주기를 원하지 않았다. 그녀는 실망했지만, 절대 포기하지 않았다. 마침내 그녀는 패션쇼의 모델이 되어 자신의 꿈을 이루게 되었다. 그녀는 세계에서 가장 키가 큰 소녀이다. 그리고 그녀는 세계에서 가장 키가 큰 패션모델이기도 하다.

문제 해설

1 키가 큰 소녀가 패션모델이 되는 꿈을 이룬다는 내용이다.
　① 패션쇼의 새로운 디자이너
　② 꿈과 현실의 차이
　③ 세계의 놀라운 패션쇼
　④ 슈퍼모델이 되는 어려움
　⑤ 꿈을 이룬 키가 가장 큰 소녀

2 「too+형용사+to+동사원형」 너무 ~해서 ~할 수 없다

3 빈칸 뒤에 꿈을 이루었다는 내용이 나오므로 빈칸에는 '마침내'라는 말이 오는 것이 가장 적절하다.

어휘 충전

teenager n. 10대　dream of ~을 꿈꾸다　hope v. 바라다
pray v. 기도하다　grow v. 자라다　quickly ad. 빨리
keep v. 계속 ~하게 하다　already ad. 이미, 벌써
until conj. ~할 때까지　stand up 일어서다

---

inside prep. ~의 안에　model n. 모델 v. 입어 보이다
whenever conj. ~할 때마다　agency n. 대행회사
disappoint v. 실망하다　give up 포기하다
achieve v. 이루다, 달성하다

구문 분석

1행 She **dreamed of** becoming a supermodel.

: 「dream of」 ~을 꿈꾸다, of(전치사) 다음에 명사(구)가 와야 하므로 become의 동명사 형태인 becoming이 왔다.

3행 She **kept** growing *taller and taller*.

: keep은 동명사를 목적어로 취하는 동사이다.

cf.) 동명사를 목적어로 취하는 동사: enjoy, finish, consider, avoid, give up 등

: 「grow+비교급+and+비교급」 점점 더 ~하게 자라다

6행 **Whenever** she went to the modeling agency, they told her "no."

: whenever는 복합관계부사로 시간 또는 양보의 부사절을 이끈다. 여기에서는 '~할 때면 언제나'라는 뜻으로 시간 부사절을 이끈다.

cf.) whenever: ~할 때면 언제나, 언제 ~하더라도, wherever: ~하는 곳은 어디든지, 어디에서 ~하더라도, however: 아무리 ~하더라도

6행 **No** *designers* **wanted** *her* to model their clothes.

: 부정형용사 no는 단수 및 복수 명사 앞에 사용되어 부정의 의미를 나타낸다.

: 「want+목적어+to부정사(목적격보어:to model)」 ~가 …하기를 원하다

9행 She is **the world's tallest girl**.

: 「the world's+형용사의 최상급+명사」 세계에서 가장 ~한 …

---

4 Health
p. 22

1 ②   2 ⑤   3 your hands

이미지 맵

(1) Hands That Tell Your Health　(2) usual
(3) salty　(4) disease　(5) dark-colored

지문 해석

한의사들은 대개 당신의 손을 주의 깊게 살펴본다. 그들은 왜 이렇게 할까? 왜냐하면 손이 건강 상태를 보여주기 때문이다. 손이 의사에게 정확하게 무엇을 말할 수 있을까? 한번 살펴보자. 먼저, 손가락을 살펴보자. 손가락이 평소보다 크게 보이는 것 같은가? 그것은 최근에 너무 짠 음식을 많이 먹었다는 뜻일 수 있

다. 하지만, 그렇지 않았다면, 아마도 갑상선에 뭔가 문제가 있을 수 있다. 다음으로 손톱을 살펴보자. 건강한 손톱은 매끄럽고, 고르고, 분홍색이다. 만약 손톱이 노랗고 너무 두껍다면 폐에 병이 있다는 뜻일 수도 있다. 손톱 끝이 거무칙칙하면 당뇨병을 앓고 있다는 뜻일 수 있다. 매일 손을 살펴봐라. 건강에 관한 한 그들은 훌륭한 친구이다.

문제 해설

1 손의 상태가 건강 상태를 말해 준다는 내용이다.
  ① 놀라운 동양 의학
  ② 당신의 건강을 말해 주는 손
  ③ 건강한 손, 건강한 습관
  ④ 당신의 손을 청결하게 유지하는 방법
  ⑤ 건강 검진의 어려움

2 손톱 끝이 거무스름하면 당뇨병을 앓고 있을 수 있다.

3 '매일 손을 살펴봐라(Look at your hands every day.)'라고 했으므로 friends는 your hands를 가리킨다.

어휘 충전

oriental medicine 동양 의학 usually ad. 대개
look at ~을 보다 carefully ad. 주의 깊게, 신중히
condition n. 상태 take a look 살피다, 보다
seem v. ~인 것 같이 보이다 usual a. 평소의
mean v. 의미하다 salty a. 짠, 짭짤한 recently ad. 최근에
if conj. 만약 ~한다면 fingernail n. 손톱
smooth a. 매끄러운 even a. 평평한, 고른 thick a. 두꺼운
disease n. 질병 lung n. 폐 dark-colored a. 거무스름한
tip n. 끝, 끝 부분 when it comes to A A에 관한 한

구문 분석

1행 **Doctors** of oriental medicine usually **look** *carefully* **at** your hands.
: look의 주어는 Doctors이고, look은 '~하게 보이다'라는 감각동사가 아니라, look at '~을 보다'라는 동작동사로 쓰였기 때문에 look 뒤에 carefully라는 부사가 왔다.

8행 **if** you didn't, then maybe there's *something* **wrong** with your thyroid gland
: if는 '만약 ~한다면'이라는 의미의 접속사이다.
: 보통 형용사는 명사 앞에서 명사를 수식해 주지만, -thing으로 끝나는 명사는 형용사가 명사의 뒤에서 수식한다.

10행 Healthy fingernails are **smooth**, **even**, *and* **pink**.
: smooth, even, pink가 and로 연결된 병렬 구조이다. smooth (부드러운), even(평평한), pink(분홍색의)는 모두 형용사이다.

---

❶ A ②
  B 1 Put 2 next 3 here and there 4 read

❷ A 1 ⑤   2 ④
  B 1 painful 2 scare 3 swarm 4 crop 5 cartoon

❸ A ②
  B 1 already 2 until 3 never 4 keep

❹ A 1 ③   2 ①
  B 1 mean 2 smooth 3 condition 4 disease

Chapter 03

1 People p. 28

1 ②   2 (1) T (2) F (3) F

지문 해석

2001년 1월 도쿄의 어느 금요일 저녁이었다. 한 젊은 한국 남자가 복잡한 지하철 플랫폼에서 열차를 기다렸다. 그의 이름은 이수현이었다. 갑자기 한 노인이 기차선로로 떨어졌다. 이수현은 즉시 그 노인을 돕기 위해 뛰어내렸다. 그러나 너무 늦었다. 열차는 그 두 남자를 치었고, 두 명 모두 사망했다. 그 용감한 젊은 한국인은 유명해졌다. 그의 안타까운 이야기는 모든 한국인과 일본인에게 감동을 주었다. 10년이 지난 후, 한국의 대통령과 일본의 총리는 국가 추모식에 참석했다. 그들은 우호관계에 다리를 놓음으로써 우리가 이수현을 예우해야 한다고 말했다. 이수현을 절대로 잊지 말자!

문제 해설

1 ① 기억하지 말자
  ② 절대로 잊지 말자
  ③ 비웃지 말자
  ④ 걱정하지 말자
  ⑤ 더는 이야기하지 말자

2 (2) 이수현과 선로에 떨어진 노인은 둘 다 사망하였다.
  (3) 한국의 대통령과 일본의 총리에게 상을 받은 것이 아니라, 대통령과 총리가 추모식에 참석했다.

어휘 충전

wait for ~을 기다리다　crowded a. 붐비는, 복잡한
platform n. (기차역의) 플랫폼　suddenly ad. 갑자기, 불현듯
fall down 쓰러지다, 넘어지다　track n. (기차) 선로
immediately a. 즉시, 바로　jump down 뛰어내리다
brave a. 용감한　touch v. 감동시키다　president n. 대통령
Prime Minister n. 국무총리, 수상　attend v. ~에 참석하다
national a. 국가의　memorial a. 기념하기 위한, 추도의
ceremony n. 의식, 식　honor v. 존경하다, 예우하다
build v. 짓다, 건설하다
bridge n. (~의 사이를 이어주는) 가교, 다리
friendship n. 친선, 우정　forget v. 잊다
make fun of ~을 놀리다

구문 분석

1행 **It** was a Friday evening in Tokyo in January, 2001.
: It은 날짜를 나타내는 비인칭주어로 '그것'이라고 해석하지 않는다.
9행 They said / (that) we must honor Lee **by** *building*
bridges of friendship.
: said와 we 사이에 said의 목적어절을 이끄는 접속사가 생략되었다.
: by는 '~로써'라는 뜻으로 수단, 방법 등을 의미한다. 전치사 뒤에
동명사인 building이 목적어로 왔다.

2 Health p. 29

1 ②　2 shiny, healthy

지문 해석

당신은 머리를 매일 감는가? 당신은 사람들이 매일 머리를 감아야 한다고 생각하는가? 나? 나는 매일 샴푸로 머리 감는 것을 정말 좋아한다. 하지만 다른 사람들은 어떤가? 어떤 한 미국 샴푸 제조회사의 연구에 따르면 미국인은 일주일에 약 다섯 번 정도 머리를 감는다. 유럽 사람들은 일주일에 약 두세 번 정도로 덜 자주 머리를 감는다. 머리는 매일 감는 것이 좋은 것일까? 몇몇 모발 관리 전문가들은 "아니다!"라고 이야기한다. 그들에 따르면, 머리를 너무 자주 감는 것은 머리의 자연적인 기름을 없앤다고 한다. 머리카락에 있는 자연적인 기름은 모발을 빛나고 건강하게 유지해 준다. 그렇다면 샴푸로 머리를 감는 것은? 덜 하는 것이 더 나은 것이다! 좋다! 우리의 모발을 위해 조금 더 게을러져 보자.

문제 해설

1 머리를 자주 감으면 모발을 빛나고 건강하게 유지해 주는 머리카락에 있는 자연적인 기름을 없애기 때문에 모발에 좋지 않다는 내용이다.

2 The natural oils in your hair help to keep it shiny and healthy.에서 빈칸의 답을 찾을 수 있다.
자연적인 기름이 모발을 빛나고 건강하게 만들어 준다.

어휘 충전

wash v. 씻다　hair n. 머리카락
shampoo v. (머리를 샴푸로) 감다
according to ~에 따르면　maker n. 제조회사
research n. 연구, 조사　European n. 유럽인
less ad. 더 적게　often ad. 자주　care n. 관리, 보살핌
expert n. 전문가　remove v. 없애다, 제거하다
natural a. 자연의, 천연의　keep v. 유지하다　shiny a. 빛나는
healthy a. 건강한　lazy a. 게으른

구문 분석

3행 I **love** *to shampoo* every day.
: to shampoo는 to부정사의 명사적 용법으로 문장에서 love의 목적어 역할을 하며 '매일 머리를 감는 것'이라고 해석한다.
6행 Europeans **do it** *less often, about two to three times a week*.
: do it은 앞 문장에서 언급한 wash their hair를 가리킨다.
: 「less+부사」 덜 ~한, less often = about two ~ a week
7행 Is **it** good **to shampoo** every day?
: it은 가주어, to shampoo 이하가 진주어이다.
8행 **washing** your hair too often *removes* natural oils
: washing your hair too often은 동명사구로 문장에서 주어의 역할을 하며, 동명사구 주어는 단수 취급한다.
9행 **The natural oils** [in your hair] **help** *to keep* it shiny and healthy.
: in your hair는 삽입구이고, The natural oils가 주어, help가 동사이다.
: 「help(+to)+동사원형」은 '~하는 것을 돕다'라는 의미이고, to는 생략 가능하다.
10행 Less is more!
: 적을수록 좋다는 관용표현이다.

7

3 World-Famous — p. 30

1 ① 2 ④ 3 세계 기록을 세우는 것

지문 해석

대부분의 사람은 세계 기록을 가지고 있지 않다. 세계 기록은 달성하기 쉽지 않다. 하지만 Ashrita Furman은 특별한 사람이다. 그는 살아 있는 그 누구보다 많은 기네스 세계 기록을 보유하고 있다. 그는 24세에 첫 번째 세계 기록을 세웠다. 그는 멈추지 않고 팔 벌려 뛰기를 27,000번 했다. 그리고 그는 머리 위에 우유 한 병을 얹고 130킬로미터를 걸었다. 또한, 그는 24시간 안에 한 편의 시를 111개의 언어로 번역했다. 현재 그는 60세이다. 그는 통틀어 480개의 세계 기록을 가지고 있고, 계속해서 점점 더 많은 기록을 세우고 있다. 그는 왜 계속 그것을 할까? 그의 웹사이트에 힌트가 있다. 거기에는 "만약 가슴에 큰 꿈을 품고 있다면, 어떻게 작은 현실에 만족할 수 있겠는가? 결코 포기해서는 안 된다."라고 쓰여 있다.

문제 해설

1 세계 기록을 가장 많이 가지고 있는 남자에 대한 이야기이다.
 ① 세계 기록을 깨는 자
 ② 가장 재미있는 세계 기록
 ③ 세계 기록을 달성하는 방법
 ④ 기네스 세계 기록의 역사
 ⑤ 기네스 세계 기록 책의 출판

2 Ashrita Furman은 생존 인물 중 가장 많은 세계 기록을 가지고 있고, 24시간 안에 한 개의 시를 111개의 언어로 번역했다. 60세 이후에도 계속 기록을 세우고 있으며 현실에 만족하지 말라고 말하고 있다.

3 doing it은 앞에서 언급한 making more를 받는 것으로 더 많은 기록을 세우는 것을 말한다.

어휘 충전

world record 세계 기록 achieve v. 달성하다, 성취하다
special a. 특별한 alive a. 살아있는 set v. 세우다, 만들다
without prep. ~ 없이 bottle n. 병 translate v. 번역하다
poem n. 시 language n. 언어 in total 통틀어, 전체로서
hint n. 암시, 힌트 website n. 웹사이트
be satisfied with ~에 만족하다 reality n. 현실
give up 포기하다

구문 분석

1행 It's not *easy* **to achieve**.
: It은 앞에 언급한 a world record를 받는 것이고, to achieve는 형용사(easy)를 수식하는 부사적 용법으로 쓰인 것이다.
→ **To achieve** a world record is not easy.
→ It's not easy **to achieve** a world record.

2행 He has **more** *Guinness World Records* **than** *anyone else* alive.
: 「비교급(more)+than+anyone else」는 최상급을 의미한다.
: -one, -body, -thing으로 끝나는 대명사는 형용사가 뒤에서 꾸며 준다.

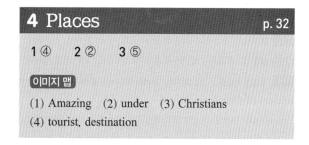

4 Places — p. 32

1 ④ 2 ② 3 ⑤

이미지 맵

(1) Amazing (2) under (3) Christians
(4) tourist, destination

지문 해석

거대한 암석층 아래에 사는 것을 상상할 수 있는가? 스페인에는 놀라운 마을이 하나 있다. 그 마을은 세테닐 데 라스 보데가스라고 불린다. 무엇이 놀라운 것일까? 그 마을은 거대한 암석층 아래에 있다. 그 거대한 암석층은 마치 떨어져서 그 마을을 으스러뜨릴 것 같이 보인다. 하지만 걱정하지 마라. 그곳은 꽤 안전하다. 사실, 기독교인이 처음 여기로 온 것이 바로 그 때문이다. 약 2,000년 전 기독교인은 고대 로마인이 자신을 죽이려 했기 때문에 숨어야 했다. 그들은 이 장소를 찾고 안심이 되었다. 그때 이후로 세테닐 데 라스 보데가스는 영구적인 마을이 되었다. 바위 바로 아래에 집과 상점이 있다. 사람들이 그곳에서 살고 있다. 그들의 집 천장과 뒷벽은 바위의 일부분이다. 세테닐 데 라스 보데가스는 인기 있는 관광지이다. 그것은 보기에 정말 놀랍다.

문제 해설

1 Since that time, Setenil de Las Bodegas has grown into a permanent village.에서 실제로 사람이 산다는 것을 알 수 있다.

2 집이 위험해 보이지만 걱정하지 않아도 되는 이유가 나오는 문장(It's quite safe.) 앞에 위치해야 한다.

3 기독교인은 로마인이 죽이려고 해서 숨을 곳이 필요했고, 암석층 아래에 있는 마을을 발견하게 되었다.

imagine v. 상상하다   giant a. 거대한   rock n. 바위, 암석
amazing a. 놀라운   village n. 마을
look like ~처럼 보이다   fall down 무너지다, 떨어지다
crush v. 으스러뜨리다   quite ad. 꽤, 상당히
safe a. 안전한, 안심할 수 있는   Christian n. 기독교인
hide v. 숨다   grow into (성장하여) ~이 되다
permanent a. 영구적인   roof n. 천장, 지붕   wall n. 벽
popular a. 인기 있는   tourist destination 관광지
truly ad. 정말로, 진심으로

구문 분석

3행 The giant shelf **looks** *like* it will fall down and crush the village.
: 「look like+주어+동사」는 '~ 처럼 보이다'라는 뜻이며, like는 접속사로 볼 수 있다.

5행 In fact, **that's why** Christians first came here.
: That's why 뒤에는 어떤 일의 결론 또는 결과가 되는 문장이 온다. '그래서 ~한 것이다', '그것이 ~한 이유이다'라고 해석한다.

6행 Christians **needed** *to hide* because Roman **wanted** *to kill* them
: need와 want는 to부정사를 목적어로 취하는 동사이다.

7행 **Since** that time, Setenil de Las Bodegas **has grown** into a permanent village.
: has grown은 현재완료 구문이고, 이 문장에서는 since와 함께 쓰여 과거에 시작된 상황이 현재까지 계속된다는 것을 나타내는 계속적 용법으로 쓰였다. 그때 이후로 지금까지 Setenil de Las Bodegas가 사람들이 사는 마을로 자리잡아가고 있다는 의미이다.

Review Test   p. 34

1 A ①
  B 1 waited   2 attended   3 fell   4 touched

2 A 1 ③   2 ④
  B 1 remove   2 less   3 often   4 expert   5 keep

3 A 1 ②   2 ③
  B 1 bottle   2 reality   3 poem   4 translate
    5 record

4 A ③
  B 1 safe   2 imagine   3 wall   4 permanent

Chapter 04

1 Entertainment   p. 38

1 ④   2 ④

지문 해석

개를 기르고 있는가? 그렇다면 아마도 당신은 개를 집에 두고 나올 때, 개가 슬프고 우울해한다는 것을 알 것이다. 당신이 집에 개와 함께 있지 않을 때, 어떻게 개의 기분이 나아지게 해 줄 수 있을까? DOGTV가 당신을 위한 해답이다. DOGTV는 개를 위해 특별히 만들어진 텔레비전 채널이다. 그것은 동물 전문가들에 의해 만들어졌다. 그들은 개를 매우 잘 이해한다. 그들은 개들이 특정한 소리를 좋아한다는 것을 알고 있다. 그리고 그들은 또한 개들이 특정한 그림을 좋아한다는 것을 알고 있다. 그래서 DOGTV는 이러한 소리와 그림을 하루 종일 틀어주는데, 이것은 매우 효과적인 것 같다. 개들이 DOGTV를 볼 때는 주인과 떨어져 있더라도 그다지 슬퍼하지 않는다. 정말 좋은 생각이지 않은가!

문제 해설

1 DOGTV는 주인의 사진이 아닌 개가 좋아하는 특정한 그림을 계속 보여준다.

2 그림을 좋아한다는 것 또한 알고 있다는 문장이므로 특정한 소리를 좋아한다는 문장 뒤에, 좋아하는 소리와 그림을 틀어준다는 내용 앞에 오는 것이 적절하다.

어휘 충전

depressed a. 우울한   leave v. ~을 내버려두다, 떠나다
channel n. 채널   specially ad. 특별히
create v. 창안하다, 창조하다   expert n. 전문가
understand v. 이해하다   certain a. 특정한, 확실한
sound n. 소리   owner n. 주인   be away 떨어져 있다
image n. 이미지, 상

구문 분석

1행 Then you may know / that he feels sad and depressed *when* you leave him at home.
: know의 목적어절 안에 when 이하의 시간 부사절이 포함된 것이다.

3행 How can you **make** *him* feel better ~
: 「사역동사(make)+목적어(him)+목적격보어(동사원형: feel)」

~을 …하게 만들다

5행 DOGTV is *a TV channel* [**made** specially for dogs].

: made가 이끄는 구가 a TV channel을 수식하고, a TV channel과 made 사이에 「주격 관계대명사+be동사」를 넣어 보면 구조를 이해하기 쉽다.

9행 **When** dogs watch DOGTV, / they aren't so sad / **even though** their owners are away.

: they aren't so sad가 주절이고, when이 이끄는 시간 부사절과 even though(비록 ~일지라도)가 이끄는 양보 부사절이 연결되어 있다.

10행 **What** a good idea!

: What을 이용한 감탄문은 「What+a(n)+형용사+명사(+주어+동사)」의 형태이며, 여기에서는 주어, 동사가 생략되었다.

2 Life　　　　　　　p. 39

1 ④　　2 ④

지문 해석

하루에 얼마나 많은 시간을 야외에서 보내는가? 아마도 많지는 않을 것이다. 요즘은 우리 중 많은 사람들이 지나치게 긴 시간을 실내에서 보낸다. 우리는 학교에서 바쁘게 지낸다. 우리는 집에서 공부를 하고 숙제를 하느라 바쁘다. 우리는 자유 시간이 있을 때, 텔레비전을 보거나, 컴퓨터를 하거나, 혹은 소파에 누워 있는다. 이것은 좋지 않다. 당신을 살찌게 만들고 몸 상태를 좋지 않게 만들 수 있다. 더군다나 이것은 심지어 당신을 슬프고 우울하게 만들 수도 있다. 점점 더 많은 연구가 야외에서 활동을 하는 것이 중요하다는 것을 보여준다. 야외에서 자연과 함께 있는 것은 스트레스를 줄여 준다. 또한, 당신을 좀 더 활동적이고 창의적으로 만들어 준다. 더구나, 자연과 함께 놀면서 많은 시간을 보내는 아이들이 더 좋은 성적을 받는다. 멋지다! 밖으로 나가서 놀아보자!

문제 해설

1 야외 활동의 이점을 나열하며 야외 활동의 중요성에 대해서 이야기하고 있다.
　① 야외 스포츠의 위험성
　② 규칙적인 운동의 필요성
　③ 스트레스를 푸는 가장 좋은 방법
　④ 야외 활동의 중요성
　⑤ 전 세계의 특별한 야외 활동
2 야외 활동이 자신감을 키워 준다는 것은 언급되지 않았다.

spend v. (시간을) 보내다　outside ad. 밖에서
probably ad. 아마도　indoors ad. 실내에서
couch n. 긴 의자, 소파　fat a. 뚱뚱한
unfit a. 건강하지 못한, 부적당한　important a. 중요한
nature n. 자연　reduce v. 줄이다　energetic a. 활동적인
creative a. 창의적인　moreover ad. 게다가, 더구나
outdoors ad. 야외에서　grade n. 성적
awesome a. 최고의, 엄청난

구문 분석

3행 We're busy **studying** *and* **doing** homework at home.

: 「be busy -ing」 ~하느라 바쁘다

: studying과 doing이 and로 연결된 병렬 구조이다.

5행 **what's worse**, it can even **make** *you* sad and depressed

: what's worse 설상가상으로, 더 나쁜 것은

: 「make+목적어(you)+목적격보어(sad and depressed)」

~을 …하게 만들다

6행 **it** is important **to play** outside

: it은 가주어, to play 이하가 진주어이다.

7행 **Being** outside in nature *reduces* stress.

: Being outside in nature는 동명사구로 문장의 주어이다. 동명사구 주어는 단수 취급한다.

9행 *kids* [**who** *spend* more time **playing** outdoors in nature] **get** higher grades

: spend의 주어가 되는 주격 관계대명사 who는 kids를 선행사로 받는다. kids가 주어, get이 동사이다.

: 「spend+시간(more time)+-ing」 ~하는 데 시간을 보내다

3 Information　　　　　　　p. 40

1 ②　　2 (1) T (2) T (3) F　　3 ④

지문 해석

당신은 수학을 잘 하는가? 그렇지 않다면, 초콜릿을 먹어 봐라! 최근에 영국의 연구원들은 초콜릿과 학생들에 대한 연구를 했다. 두 그룹의 학생이 있었다. 첫 번째 그룹은 뜨거운 코코아를 마셨다. 두 번째 그룹은 차를 마셨다. 음료를 마신 후, 학생들은 수학 문제를 풀었다. 그 결과는 한 그룹이 다른 그룹보다 훨씬 더 잘했다는 것을 보여 줬다. 첫 번째 그룹이 수학 문제를 훨씬 빨리 풀고 더 높은 점수를 받았다. 초콜릿이 어떻게 도움을 주었을까? 연구에 따르면, 초콜릿이 뇌 안에서 혈액이 순환하는 것을

돕는다고 한다. 결과적으로 뇌가 더 잘 작동하고 쉽게 지치지 않는다. 그러나 초콜릿을 먹기 전에 한 가지를 더 기억해라. 다크 초콜릿만이 당신에게 이롭다. 반면에 밀크 초콜릿은 그다지 이롭지 않다. 밀크 초콜릿은 너무 많은 설탕을 포함하고 있다. 다크 초콜릿을 먹고 수학을 더 잘해 보자!

문제 해설

1 초콜릿을 먹은 학생의 성적이 차를 마신 학생의 성적보다 좋다는 실험 결과를 인용하여 초콜릿이 두뇌에 미치는 영향에 대해 설명하고 있다.

2 (3) 밀크 초콜릿에 많은 설탕과 지방이 포함되어 있다. (Milk chocolate, on the other hand, is not so good. It has too much sugar.)

3 밀크 초콜릿은 설탕이 많이 포함되어 나쁘다고 했으므로 다크 초콜릿을 먹고 수학을 더 잘하자는 내용이 적절하다.
① 수학 공부에 더 많은 시간을 쓰도록 하자!
② 더 많은 과일과 채소를 먹자!
③ 공부를 열심히 해라, 그러면 더 높은 점수를 얻을 것이다.
④ 다크 초콜릿을 먹고 수학을 더 잘해 보자!
⑤ 더 많은 다크 초콜릿을 먹는다면 피곤해 질 것이다.

어휘 충전

math n. 수학   chocolate n. 초콜릿   British a. 영국의
researcher n. 연구원   drink v. 마시다   tea n. 차, 홍차
solve v. 해결하다   problem n. 문제   result n. 결과
score n. 점수   according to ~에 따르면   blood n. 피, 혈액
flow v. 흐르다   brain n. 뇌   as a result 결과적으로
tired a. 피곤한   remember v. 기억하다
on the other hand 반면에

구문 분석

6행 one group did **much** *better* than **the other**
: 두 그룹 중 한 그룹은 one, 나머지 한 그룹은 the other로 표현한다.
: much는 '훨씬, 더욱'이라는 뜻으로 비교급을 강조하는 부사이다. 비교급을 강조하는 부사로는 still, even, a lot, far가 있다.

8행 chocolate **helps** *blood* flow in the brain
: 「help+목적어+목적격보어(동사원형: flow)」 ~가 …하는 것을 돕다

10행 before you **start** *eating* chocolate, remember one more thing
: start는 동명사와 to부정사 모두를 목적어로 취할 수 있는 동사이다.
cf.) 동명사와 to부정사를 모두 목적어로 취하는 동사: begin, start, like, love, hate 등

---

4 Places

p. 42

1 ①   **2** ④   **3** Rich Coast

이미지 맵

(1) The Happiest Place on Earth   (2) vacation
(3) Rich Coast   (4) conquered   (5) rich

지문 해석

행복해지길 원하는가? 당신이 정말로 행복하다고 느꼈던 때를 떠올려 봐. 아마도 당신이 휴가 중일 때일 것이다. 세계에서 가장 선호되는 휴가 장소 중 한 곳이 코스타리카이다. 사람들은 그곳에 가고 싶어 할 뿐 아니라 살고 싶어 한다. 그것이 코스타리카가 정말로 아름답고 행복한 곳이기 때문이다. 그곳엔 멋진 해변, 숲, 야생 동물이 있다. 그것이 바로 스페인 사람들이 그곳을 정복했을 때, '코스타리카'라고 이름 지은 이유이다. 코스타리카는 '풍부한 해변'이라는 뜻이다. 하지만 이 중앙아메리카의 나라는 금전적으로 풍요롭지 못하다. 대신에, 그곳은 아름다운 자연과 행복한 사람들이 풍부하다. 사실, '지구 행복 지수'에 따르면, 그곳은 세계에서 가장 행복한 나라이다. 이 국제적인 조사를 통해 코스타리카 사람들이 가장 행복한 사람들이며 지구상에서 가장 오랜 삶을 영위한다는 것이 밝혀졌다. 대부분의 코스타리카 사람들이 상당히 가난하기 때문에, (행복에 있어서) 돈이 전부는 아닌 것 같다. 그들은 미소와 'pura vida'라고 말하는 것으로 유명하다. 이는 '순수한 삶'이라는 뜻이다. 코스타리카로 여행을 가서 순수한 생활을 해 보기를 원하는가?

문제 해설

1 코스타리카의 좋은 점을 나열하며 지구상에서 가장 행복한 곳이라고 이야기하고 있다.
① 지구상에서 가장 행복한 곳
② 멋진 휴가를 계획하는 방법
③ 부와 행복의 연관성
④ 세계에서 가장 선호되는 휴가 장소
⑤ 중앙아메리카에서 가장 유명한 관광지

2 코스타리카로 이민하는 인구수에 대한 언급은 없다.

3 It means "Rich Coast."에서 코스타리카의 의미를 찾을 수 있다.

어휘 충전

vacation n. 방학, 휴가   favorite a. 가장 좋아하는
place n. 장소   beach n. 해변, 바닷가   forest n. 숲
wildlife n. 야생 동물, 야생 생물   name v. 이름을 지어주다

conquer v. 정복하다   mean v. 의미하다
rich a. 부유한, 풍요로운   international a. 국제적인
survey n. 조사   enjoy v. 즐기다
nevertheless ad. 그럼에도 불구하고
be famous for ~로 유명하다   pure a. 순수한, 깨끗한
take a trip 여행하다

구문 분석

1행 Think of *a time* [**when** you felt really happy].

: 관계부사 when이 이끄는 절이 선행사 a time을 수식한다.

4행 People **not only** love to visit **but** they **also** love to live there.

: 「not only A but (also) B」 A뿐만 아니라 B도 = 「B as well as A」

5행 Costa Rica is **such** a *beautiful and happy* place

: 「such+a(n)+형용사+명사」 그렇게 ~한 …

11행 This international survey **found** / **that** *Costa Ricans* **are** the happiest people *and* **enjoy** the longest lives on earth.

: that은 found의 목적어절을 이끄는 접속사로 생략할 수 있다.

: are와 enjoy가 and로 연결된 병렬 구조이다.

12행 **It seems that** money isn't everything, / **since** most Costa Ricans are quite poor.

: 「It seems that ~」 ~인 것 같다

: since는 '~이니까, 이므로'라는 뜻의 이유 부사절을 이끄는 접속사이다.

14행 **Would you like to take** a trip to Costa Rica *and* **try** the pure life there?

: 「Would you like to+동사원형~?」 ~을 하고 싶나요?

: take와 try가 and로 연결된 병렬 구조이다.

Review Test
p. 44

❶ A ④

B 1 expert 2 understand 3 leave 4 specially

❷ A 1⑤ 2①

B 1 couch 2 awesome 3 spend 4 grade 5 nature

❸ A ⑤

B 1 drink 2 score 3 problem 4 tea 5 fat

❹ A 1③ 2①

B 1 rich 2 wildlife 3 vacation 4 named

Chapter 05

1 Mysteries p. 48

1 ①

2 아버지가 커피 마시는 걸 좋아했기 때문에 커피 냄새로 그 귀신이 아버지인 걸 알 수 있었다.

지문 해석

우리 할머니는 귀신이 존재한다고 믿었다. 그녀는 심지어 귀신이 냄새를 지니고 있다고 믿었다. 여기 할머니가 나에게 말씀해 주신 이야기가 있다. 몇몇 귀신은 신선한 꽃 같은 냄새가 난다. 이는 그들이 최근에 사망했다는 뜻이다. 다른 귀신은 안 좋은 냄새가 난다. 이것은 그들이 화가 났거나 슬프다는 의미이다. 그리고 익숙한 냄새는 당신이 아는 누군가의 귀신일지도 모른다. 할머니께서는 자주 집에서 커피 향을 맡으셨다. 하지만 다른 어느 누구도 커피 향을 맡지 못했다. 할머니는 "그 귀신은 우리 아버지란다. 아버지께서는 커피 마시는 걸 좋아하셨지. 이것이 바로 내가 그 귀신이 아버지라는 걸 아는 방법이란다."라고 설명했다. 당신은 귀신이 존재한다고 믿는가? 귀신 냄새를 맡아 본 적이 있는가?

문제 해설

1 할머니께서 말씀하신 구체적인 이야기가 나오기 시작하는 문장인 Some ghosts smell like flowers. 앞이 가장 적절하다.

2 He loved to drink coffee. That's how I know it's his ghost.에서 답을 찾을 수 있다.

그녀는 어떻게 그 귀신이 자신의 아버지인 것을 알 수 있었나?

어휘 충전

grandmother n. 할머니   believe v. 믿다   ghost n. 귀신
smell n. 냄새 v. ~한 냄새가 나다   fresh a. 신선한
mean v. 의미하다   recently ad. 최근에   die v. 죽다
familiar a. 익숙한   nobody else 다른 누구도 ~않다
explain v. 설명하다

구문 분석

1행 My grandmother **believed in** *ghosts*.

: 「believe in+사람(사물)」 ~이 존재한다고 믿다

6행 a familiar smell may be a ghost of *someone* [(that) you know]

: someone(선행사)과 you 사이에 know의 목적어가 되는 목적격 관계대명사가 생략되었다.

9행 **Have you ever smelled** one?

: 「Have you ever+과거분사 ~?」는 경험을 묻는 현재완료 표현으로 '~해 본 적이 있는가?'라고 해석한다.

문제 **Here's what** she told me.

: 「Here is+단수 명사」 여기 ~가 있다

: 선행사를 포함한 관계대명사 what이 사용된 문장으로 '그녀가 나에게 이야기한 것'이라고 해석한다.

2 Animals p. 49

1 ③   2 ⑤

지문 해석

펭귄은 큰 펭귄 무리 안에서 작은 가족 집단으로 살고 있다. 펭귄은 새끼를 위한 음식을 찾으러 멀리까지 수영을 해야 한다. 펭귄 무리 안에는 수천 마리의 새끼가 있을 수 있다. 모든 새끼 펭귄은 똑같아 보인다. 그렇다면 펭귄은 어떤 새끼 펭귄이 자신의 새끼인지 알 수 있을까? 펭귄은 어떻게 자신의 새끼를 다시 찾아낼까? 그들은 시각을 이용하지 않는다. 대신, 그들은 후각을 이용한다. 펭귄은 냄새로 자신의 가족 구성원을 구별한다. 이렇게 해서 펭귄 가족은 함께 지낼 수 있다. 더 중요한 것은 이렇게 해서 펭귄이 안전한 짝을 찾는다는 것이다. 가족 구성원은 결코 서로 짝을 맺으면 안 된다. 다행스럽게도 그들은 냄새의 차이를 구별할 수 있다.

문제 해설

1 모든 새끼 펭귄은 똑같이 생겼다. (All the babies look the same.)

2 펭귄이 냄새로 가족 구성원을 구별해서 가족끼리의 짝짓기를 하지 않는다는 것으로 미루어 보아 냄새의 차이를 구별할 수 있다는 내용이 적절하다.

어휘 충전

live v. 살다   group n. 집단, 무리
colony n. 집단 거주지, 식민지   far away 멀리 떨어진
thousands of 수천의   same a. 같은, 동일한
tell v. 알다, 말하다, 구별하다   sense n. 감각   sight n. 시력
member n. 구성원   stay v. 지내다, 머무르다
together ad. 함께   importantly ad. 중요하게
safe a. 안전한   each other 서로   luckily ad. 운 좋게
similar a. 비슷한   difference n. 차이, 다름

구문 분석

2행 They **have to** swim far away to find food for their babies.

: 「have to = must」 ~해야 한다

: to find는 목적을 나타내는 to부정사의 부사적 용법이다.

5행 So how can penguins **tell** which *babies* are theirs?

: which babies are theirs는 tell의 목적어절이고, tell은 '~을 알다'라는 의미이다.

: which '어느, 어떤'이라는 의미의 의문형용사로 사용되었다.

8행 This is **how** penguin families stay together.

: how는 보어절을 이끄는 관계부사로 '~하는 방법'이라고 해석하고 the way로 바꿔 쓸 수 있다.

3 Music p. 50

1 ③   2 (1) T (2) F (3) T   3 ②

지문 해석

Rick Allen은 하드 록 밴드, Def Leppard의 드러머이다. 그는 매우 재능 있는 드러머이다. 하지만 Rick에게는 뭔가 더 특별한 것이 있다. 그는 팔이 하나뿐이다. 믿을 수 있겠는가? Rick은 21세에 자동차 사고로 왼쪽 팔을 잃었다. 그때 그는 이미 Def Leppard의 드러머였기에, 그에게는 이 세상이 끝난 것 같았다. Rick은 다시는 드럼을 연주할 수 없을 거라고 생각했다. 하지만 그의 밴드 동료들은 그를 떠나게 내버려 두지 않았다. 그들은 그를 위해 특별한 드럼을 만들어 주었다. Rick은 발과 한 쪽 팔로 드럼을 연주해야 해서 하루에 8시간을 연습했다. 마침내 그는 매우 잘 연주할 수 있게 되었다. 그는 밴드의 다음 음반에서 드럼을 연주했다. 그것은 밴드의 베스트셀러 음반이 되었다. 얼마나 놀라운가! Rick과 그 밴드는 함께 비극을 성공으로 바꿔 놓았다.

문제 해설

1 한 쪽 팔을 잃었지만 역경을 이겨내고 노력해서 성공하게 되었다는 내용이므로 '무쇠도 갈면 바늘 된다.'가 가장 적절하다.

2 (2) Rick은 사고 이후에도 특별히 고안된 드럼으로 밴드 활동을 계속했다.

3 베스트셀러 음반을 만들었으므로 비극을 성공으로 바꾸었다는 말이 적절하다.

drummer n. 드럼 연주자   talented a. 재능이 있는

accident n. 사고   seem like ～처럼 보이다

never ad. 결코 ～ 않다   mate n. 친구, 동료

let v. ～하게 하다   design v. 설계하다, 만들다

practice v. 연습하다   finally ad. 마침내

record n. 녹음, 앨범   awesome a. 굉장한, 놀라운

turn A into B A를 B가 되게 하다   tragedy n. 비극

failure n. 실패   success n. 성공   experience n. 경험

구문 분석

5행 Rick **thought** (that) he would never play the drums
again.

: thought와 he 사이에 thought의 목적어절을 이끄는 접속사가
생략되었다.

6행 But his band mates would not **let** *him* **go**.

: 「사역동사(let)+목적어+목적격보어(동사원형)」 ～가 …하게 하다

10행 How awesome!

: how 감탄문으로 「How+형용사(+주어+동사)」에서 주어와 동사
가 생략되었다.

10행 Rick and the band **turned** tragedy **into** success

: 「turn A into B」 A를 B가 되게 하다

4 World-Famous   p. 52

1 ④   2 ③

3 That's as tall as a forty-seven-story building

이미지 맵

(1) The World's Most Thrilling Roller Coasters

(2) fastest   (3) 240   (4) tallest   (5) 139

(6) longest   (7) 2,479

지문 해석

무엇이 롤러코스터를 재미있게 만들까? 롤러코스터가 얼마나 빨
리 움직이느냐 일까? 혹은 얼마나 높으냐 일까? 여기 세계적으
로 유명한 세 개의 놀이기구가 있다.

아부다비의 Ferrari World 놀이공원에 있는 Formula Rossa
는 세계에서 가장 빠른 롤러코스터이다. 단 5초 만에 0에서 시속
240킬로미터에 도달한다. Formula Rossa를 타려면 특수 고글
을 써야 한다. 왜냐하면 속도가 스카이다이빙과 같기 때문이다.

뉴저지의 Six Flags Great Adventure Park에 있는 Kingda

Ka는 가장 높은 롤러코스터이다. 또한 Ferrari World가
Formula Rossa를 만들기 전까지는 가장 빠른 롤러코스터이기
도 했다. 하지만 Kingda Ka는 여전히 가장 높은 놀이기구이다.
Kingda Ka는 정확히 얼마나 높을까? 그것은 139미터이다. 47
층짜리 건물만큼 높다.

일본의 Nagashima Spa Land는 세계에서 가장 긴 롤러코스터
를 탈 수 있는 곳이다. 그것은 Steel Dragon 2000이라고 불리
며, 길이가 2,479미터이다. Steel Dragon은 다른 어떤 롤러코
스터보다 많은 강철로 만들어졌다. 지진으로부터 보호하기 위해
서는 훨씬 더 많은 강철이 필요하다.

여러분은 어떤 것을 타고 싶은가?

문제 해설

1 지문의 내용을 모두 포괄적으로 포함하고 있어야 하므로 '세
계에서 가장 신나는 롤러코스터들'이 가장 적절하다.

① 세계의 다양한 놀이공원

② 아부다비에 있는 가장 빠른 롤러코스터

③ 우리가 롤러코스터를 타는 이유

④ 세계에서 가장 신 나는 롤러코스터들

⑤ 롤러코스터 타는 것에 대한 무서움을 극복하는 방법

2 Formula Rossa는 5초 안에 시속 240km까지 속도를 낼 수
있는 것이지 5초 안에 240km를 갈수 있는 것이 아니다.

3 「as+원급+as」 ～만큼 …한

어휘 충전

roller coaster 롤러코스터   exciting a. 신 나는, 재미있는

ride n. 놀이기구, 탈 것 v. 타다   amusement park 놀이공원

goggles n. 고글, 보호 안경   speed n. 속도   build v. 짓다

still ad. 여전히, 아직도   story n. (건물의) 층   steel n. 강철

measure v. (길이, 크기가) ～이 되다, 측정하다

in length 길이에 있어서   protect v. 보호하다

earthquake n. 지진

구문 분석

1행 **What makes** *a roller coaster exciting*?

: 「makes+목적어(a roller coaster)+목적격보어(exciting)」
～을…하게 만들다

: What은 의문사이자 이 문장의 주어이다.

5행 **If** you ride the Formula Rossa, / you have to wear
special goggles / **because** the speed is **the same as** sky-
diving.

: you have to wear special goggles가 주절이고, if가 이끄는
조건절과 because가 이끄는 이유절이 연결되어 있다.

: 「the same as」 ～와 같은

10행 That's **as** *tall* **as** a forty-seven-story building.

: 「as+형용사(tall)+as」는 원급 비교로 '…만큼 ~하다'라고 해석한다.

12행 Japan's Nagashima Spa Land is **where** you can ride the world's longest roller coaster.

: where 앞에 the place가 생략되었고, where는 명사절(보어절)을 이끄는 관계부사이다.

15행 It needs much more steel **to protect** *it* **from** *earthquakes*.

: to protect는 부사적 용법의 to부정사로 목적을 의미한다.

: 「protect A from B」 B로부터 A를 보호하다

Review Test   p. 54

① A ①

B **1** Nobody **2** familiar **3** fresh **4** believes

② A **1** ② **2** ⑤

B **1** sight **2** luckily **3** far away **4** difference **5** member

③ A ②

B **1** success **2** let **3** awesome **4** tragedy

④ A **1** ③ **2** ①

B **1** length **2** speed **3** protect **4** measured

Chapter 06

1 Psychology   p. 58

1 ③ **2** ④

지문 해석

거의 모든 사람이 무엇인가에 대한 공포심을 지니고 있다. 어떤 사람들은 거미와 뱀, 곰, 심지어 쥐를 무서워한다. 또 다른 사람들은 폐쇄된 작은 공간과 높은 곳에 있게 되는 것, 대중 연설을 하는 것을 무서워한다. 이 예시들은 매우 일반적인 것이다. 아마도 당신은 이러한 공포 중에 하나를 지니고 있을지도 모른다. 하지만, 일반적이지 않은 공포도 몇 가지 있다. 예를 들면, 산타클로스를 무서워하는 사람도 몇몇 있다. 왜 그럴까? 보통은 그들에게 산타에 대한 나쁜 기억이 있기 때문이다. 아마도 그들이 어

렸을 때 산타의 긴 수염과 이상한 빨간 의상, 커다랗고 살찐 몸이 그들을 놀라게 했을 것이다. 혹은 아마도 그들이 단지 영화에서 악랄한 산타클로스를 봐서 그럴 수도 있다. (대부분의 사람이 휴일에 영화를 보며 시간을 보내고 싶어 한다.) 크리스마스는 그들에게 가장 끔찍한 휴일임이 틀림없다.

문제 해설

1 사람들이 공포를 느끼는 일반적인 대상과 일반적이지 않은 대상에 대해 이야기하고 있다.

① 매일 공포를 느끼는 사람들

② 사람들을 강하게 만드는 공포심

③ 사람들이 느낄 수 있는 공포심

④ 산타클로스의 기원

⑤ 산타클로스와 크리스마스 휴일

2 영화에 나온 산타클로스를 무서워하는 사람들도 있다는 흐름에 '대부분의 사람이 휴일에 영화를 보며 시간을 보내고 싶어 한다.'는 내용은 어울리지 않는다.

어휘 충전

fear n. 공포, 두려움 v. 무서워하다 spider n. 거미 be afraid of ~을 무서워하다 enclosed a. 폐쇄된, 둘러싸인 space n. 공간 public speaking 대중 연설 example n. 예시 common a. 흔한 unusual a. 특이한, 예외적인 for instance 예를 들어 be terrified of ~을 무서워하다 have a bad memory of ~에 대한 나쁜 기억이 있다 perhaps ad. 아마, 어쩌면 beard n. 턱수염 costume n. 의상 scare v. ~을 겁나게 하다 evil a. 악랄한, 사악한 terrible a. 끔찍한

구문 분석

2행 **Some** people fear ~. **Others** are afraid **of** [being in {small enclosed spaces} *and* {high places}] *and* [public speaking].

: some은 어떤 다수의 대상 중 불특정 일부를 나타내며, others는 또 다른 불특정 일부를 나타낸다.

: afraid of에 being in ~ high places와 public speaking이 and로 연결된 병렬 구조이고, being in에 small enclosed spaces와 high places가 and로 연결된 병렬 구조이다.

7행 there are *some people* [**who** are terrified of Santa Claus]

: 주격 관계대명사 who가 이끄는 절이 some people(선행사)을 수식한다.

1 ⑤

2 Dave가 두 번째 물고기를 먹는 것을 보고

지문 해석

선물을 받는 것은 항상 신 나는 일이다. 하지만 그 선물이 사람에게 받은 것이 아니라면 어떨까? 14세의 영국 소녀인 Lucy Watkins는 4.5킬로그램짜리의 살아 있는 물고기를 받았다. 돌고래에게서! 그녀와 그녀의 가족은 돌고래를 보면서 보트를 타고 있었다. 그 돌고래는 Dave로, 이 지역에서는 유명한 돌고래였다. Dave는 보트로 헤엄쳐 와서 Lucy를 바라보았다. 갑자기 돌고래가 물 안으로 뛰어들더니 거대한 물고기를 가지고 다시 돌아왔다. 그는 그 물고기를 보트 안으로 던져 주었다. Lucy는 어떻게 해야 할지 몰랐다. 그녀는 그저 Dave와 그 물고기를 빤히 쳐다보았다. Dave는 다시 물에 뛰어들더니, 또 다른 물고기를 가지고 되돌아왔다. 그러더니 그는 그 물고기를 먹기 시작했다. Lucy는 Dave가 물고기를 먹는 것을 보고 첫 번째 물고기가 그녀를 위한 선물임을 알아차렸다.

문제 해설

1 Lucy는 돌고래가 가져다 준 물고기를 어떻게 해야 할지 몰라서 당황스러웠지만 이내 그 물고기가 선물임을 알고 고마워하게 되었다.

2 Lucy watched Dave eat his fish and realized the first fish was a gift for her.에서 Dave가 두 번째로 가져온 물고기를 먹는 것을 보고 알아차렸음을 알 수 있다.

Lucy는 언제 첫 번째 물고기가 선물이라는 것을 알아 차렸는가?

어휘 충전

receive v. ~을 받다   exciting a. 신 나는
human n. 인간, 사람   live [laiv] a. 살아 있는
dolphin n. 돌고래   well-known a. 유명한   area n. 지역
swim up 헤엄쳐 오르다   suddenly ad. 갑자기
dive v. 뛰어들다   huge a. 거대한   toss v. 던지다
stare at ~을 빤히 쳐다보다, 응시하다   realize v. 알아차리다
gift n. 선물

구문 분석

1행 **Receiving** a gift *is* always exciting.

: Receiving이 이끄는 동명사구가 주어이고, 동명사구 주어는 단수 취급한다.

1행 But **what if** the gift is not from a human?

: what if ~라면 어떨까

3행 She and her family were on a boat watching a dolphin.

: watching 이하는 '돌고래를 보면서'라는 의미로 동시동작을 나타내는 분사구문이다. (= and they were watching a dolphin)

7행 Lucy didn't know **what to do**.

: what to do는 '무엇을 해야 할지'라는 의미이다. (= what she should do)

9행 Lucy **watched** *Dave* eat his fish *and* **realized** (that) the first fish was a gift for her.

: 「지각동사(watch)+목적어(Dave)+목적격보어(동사원형: eat)」 ~가 …하는 것을 보다

: watched와 realized가 and로 연결된 병렬 구조이다.

: realized 다음에 목적어절을 이끄는 접속사가 생략되었다.

1 ④   2 ③   3 (1) T (2) F (3) T

지문 해석

애완동물 소유자에게

휴가를 가는 것이 어렵나요, 그렇지 않나요? 당신은 애완동물이 걱정이 돼서 휴가도 즐길 수 없을 거예요. 당신의 강아지나 고양이는 가족의 구성원이니까요. 그를 집에 혼자 남겨 둘 수는 없어요. 하지만 더는 걱정할 필요가 없어요.

제 이름은 Aileen이고, Urban Tails Resort의 최고 경영자예요. Urban Tails는 애완동물을 위한 세계 최초의 7성급 리조트예요. 당신의 애완동물은 당신이 없는 동안 Urban Tails에서 안전하고 행복하게 지낼 거예요. 저희는 당신의 사랑스러운 애완동물을 위해 아름다운 객실과 식당, 수영장, 놀이방을 마련했어요. 저희의 애완동물 고객은 클래식 음악과 에어컨, TV를 즐길 수 있어요. 게다가 리조트 곳곳에 카메라가 있어서 당신은 애완동물을 언제든 온라인으로 볼 수 있어요. Urban Tails는 1박당 30달러에서 100달러가 나가는 다양한 가격대의 객실을 마련했어요. 전화하시거나 온라인으로 방문해 주세요. 저희가 당신의 애완동물을 위한 완벽한 장소라는 것을 알게 되실 거예요.

진심을 다해,

Aileen

1 애완동물을 위해 마련된 시설을 열거하면서 애완동물 리조트를 광고하는 글이다.

2 (A)빈칸 앞에 집에 애완동물을 혼자 두게 되어 걱정을 한다는 내용이 나오고, 빈칸 뒤에 걱정을 할 필요가 없다는 내용이 나오므로 빈칸에는 역접의 연결어인 but이나 how가 적절하다.

   (B)빈칸 앞에 리조트에 있는 다양한 시설을 언급하고 있고, 빈칸 뒤에도 계속 리조트 시설에 대한 이야기가 나오므로 첨언의 부사인 furthermore가 적절하다.

3 (2) Urban Tails Resort에 있는 애완동물은 리조트에 설치된 카메라를 통해 온라인상으로 언제든 볼 수 있다.

어휘 충전

go on vacation 휴가를 가다

worry about ~에 대해 걱정하다   enjoy v. 즐기다

holiday n. 휴가, 방학   either ad. 또한, 게다가

a part of ~의 일부   leave v. ~을 내버려두다, 떠나다

alone a. 혼자, 홀로   need v. 필요하다

CEO (Chief Executive Officer) 최고 경영 책임자

while conj. ~하는 동안   playroom n. 놀이방, 오락실

throughout prep. 곳곳에   anytime ad. 언제나

a range of ~의 범위의, 다양한

suite n. (호텔의) 스위트룸, 특별실   perfect a. 완벽한

furthermore ad. 뿐만 아니라

구문 분석

2행 Going on vacation **is** hard, **isn't it**?

: 부가의문문은 평서문에 의문문을 붙이는 구조이다. 상대방의 동의를 구하거나 사실을 확인할 때 부가의문문을 사용한다. it은 Going on vacation을 가리킨다.

9행 your pet will be safe and happy **while** you're away

: while은 '~하는 동안'이라는 의미를 가진 접속사로, while 다음에는 주어와 동사가 온다.

14행 Urban Tails has a range of suites *at prices* from $30 to $100 per night.

: prices는 from $30 to $100 per night에 해당한다. '하룻밤 30달러에서 100달러하는 가격대'라고 해석된다.

15행 You'll **see** (that) we're the perfect place for your pet.

: see와 we 사이에 see의 목적어절을 이끄는 접속사가 생략되었다.

---

4 Information   p. 62

1 ④

2 우뇌가 신체의 좌측을 통제하고, 좌뇌가 신체의 우측을 통제하는 것

3 ④

이미지 맵

(1) An Activity That Makes You Smarter

(2) brain   (3) intelligence   (4) better

지문 해석

사실 당신의 뇌는 크게 우뇌와 좌뇌 두 부분으로 분리되어 있다. 우뇌는 몸의 좌측을 통제하고 좌뇌는 우측을 통제한다. 과학자들은 여전히 왜 이렇게 되는지 확실히 알지 못한다. 하지만 그들이 정말로 알고 있는 것은 어떤 특정한 활동들이 뇌에 좋다는 것이다. 이런 특별한 활동 중에서 저글링은 가장 좋은 방법 중 하나이다. 사실, 연구에 따르면 저글링은 뇌에 있어서 운동 같은 것이라고 한다. 저글링은 우뇌와 좌뇌가 함께 더 잘 작동하게 해준다. 우뇌와 좌뇌가 함께 잘 작용할 때, 뇌는 더 빨라지고 더 창의적이 된다. 다시 말하자면, 저글링은 지적 능력을 향상시킨다. 재미있을 뿐만 아니라 당신을 똑똑하게 만들어 준다. 재미를 위해 저글링을 하고 좋은 점수를 받고 싶은가? 전문가가 될 필요는 없다. 단지 작고 부드러운 공으로 시작해서 매일 연습해라. 결국 성공하게 될 것이다. 당신의 친구와 가족은 당신의 저글링 솜씨뿐만 아니라 성적에도 깜짝 놀랄 것이다. 하지만, 공부하는 것도 잊지 마라.

문제 해설

1 뇌를 운동시켜 지적인 능력을 향상시켜 주는 활동인 저글링에 대한 이야기이다.

   ① 당신의 뇌가 어떻게 작동하는지

   ② 왜 뇌가 중요한지

   ③ 왜 공부를 열심히 해야 하는지

   ④ 당신을 똑똑하게 만들어 주는 활동

   ⑤ 저글링 전문가가 된 사람

2 it works like this는 바로 앞에 나온 내용인 The right brain controls the left side of your body, and left brain controls the right side.를 말한다.

3 주어진 문장이 지적인 능력을 향상시켜 준다는 내용이고, 앞을 말을 다시 한번 정리해 주는 말이므로 같은 의미의 문장인 뇌가 빨라지고 창의적이 된다는 문장 뒤에 오는 것이 가장 적절하다.

brain n. 뇌 mostly ad. 주로 separate a. 분리된
control v. 통제하다 still ad. 아직도, 여전히
certain a. 어떤, 확실한 activity n. 활동 workout n. 운동
become v. ~이 되다 creative a. 창의적인 grade n. 성적
professional n. 전문가 practice v. 연습하다
eventually ad. 결국 succeed v. 성공하다
be amazed at ~에 깜짝 놀라다 as well 또한, 역시
forget v. 잊다 improve v. 향상시키다
intelligence n. 지능

4행 Scientists are still not **sure** / **why** it works like this.
: why는 이유를 나타내는 의문사로 sure의 목적어절을 이끈다.

6행 **What** they **do** *know*, however, *is* **that** certain
activities are great for your brain.
: What은 선행사를 포함한 관계사로 주절을 이끌며, what절은 단
수 취급하므로 is가 왔다.
: do는 know는 강조하는 동사로 '정말로 ~하다'라고 해석한다.
: that은 보어절을 이끄는 접속사이다.

9행 studies **show that** juggling is *like* a workout for the
brain
: that은 show의 목적어절을 이끄는 접속사이다.
: like는 동사 외에 전치사의 역할도 하며 전치사일 경우 '~처럼'으
로 해석한다.

10행 Juggling **makes** *the right brain and left brain* **work**
better together.
「사역동사(makes)+목적어(the right ~ left brain)+목적격보어
(동사원형: work)」 ~을 …하게 하다

12행 It's **not only** exciting **but** it **also** makes you smarter.
: 「**not only** A but (also) B」 A뿐만 아니라 B도

13행 Do you want **to juggle** for fun *and* **to get** better
grade?
: to juggle과 to get이 and로 연결된 병렬 구조이다.

1 A ④
  B 1 terrified 2 evil 3 enclosed 4 Perhaps

2 A 1 ③ 2 ⑤
  B 1 suddenly 2 stare 3 realize 4 toss 5 area

3 A ②
  B 1 throughout 2 alone 3 either 4 anytime

4 A 1 ② 2 ④
  B 1 workout 2 Certain 3 become 4 control

Chapter 07

1 World News   p. 68

1 ⑤
2 Be careful when you visit the toilet /
When you visit the toilet, be careful

당신이 위아래가 뒤집힌 집 안에 있는 것을 상상할 수 있는가?
만약 독일의 게토르프 동물원을 방문한다면, 당신을 그걸 상상
할 필요가 없다. 왜 그럴까? 왜냐하면 위아래가 뒤집힌 집이 동
물원 안에 있기 때문이다. 그것은 진짜 집이고 완전히 위아래가
뒤집혀 있다. 안으로 들어가 보자. 천장과 전등이 당신의 발아래
에 있다. 바닥과 모든 가구는 당신의 머리 위에 있다. 무거운 사
물, 특히 냉장고와 텔레비전 아래를 걷는 것은 무섭다. 당신의 머
리 위로 그것이 떨어질 것 같아 무서울지도 모른다. 또한 위아래
가 뒤집힌 화장실 안에 있는 것은 매우 꺼림칙할 수도 있다. 화
장실에 가면 조심하라!

1 위아래가 뒤집힌 화장실에 있는 것이 꺼림칙할 것이라고 했으
  므로, 화장실의 변기도 뒤집혀서 천장에 붙어 있어야 한다.
2 「be careful when+주어+동사 / when+주어+동사,
  be careful」 ~할 때 조심하라

어휘 충전

imagine v. 상상하다   upside-down a. 거꾸로 된, 뒤집힌
inside prep. ~의 안에 ad. 안으로   totally ad. 완전히
ceiling n. 천장   light n. 전등, 조명
under prep. ~의 아래에   floor n. 바닥   furniture n. 가구
above prep. ~의 위에   scary a. 무서운, 겁나는
refrigerator n. 냉장고   afraid a. 무서워하는, 걱정하는
fall down 떨어지다   uncomfortable a. 불편한
careful a. 조심성 있는, 신중한   toilet n. 화장실, 변기

구문 분석

2행 If you visit Germany's Getorrf Zoo, you **don't need to imagine** it.

: If는 조건절을 이끄는 접속사로 '만약 ~한다면'이라는 의미이다.

: 「don't need to+동사원형」은 '~할 필요가 없다'는 의미이며, 「don't have to+동사원형」으로 바꾸어 쓸 수 있다.

7행 It's scary **to walk** under *the heavy things*, especially *the refrigerator and the TV*.

: It은 가주어, to walk 이하가 진주어이다.

8행 You might be **afraid** / **that** they will fall down on your head.

: that이 afraid의 목적어절을 이끄는 접속사이다.

2 Myth
p. 69

1 ③   2 (1) F (2) F (3) T

지문 해석

'모든 사람이 알고 있는' 어떤 것이 항상 옳은 것은 아니다. 여기 당신을 놀라게 할 몇 가지 흔한 믿음과 사실이 있다.

· 모든 사람은 쥐를 잡기 위해 쥐덫에 치즈를 놓는다고 알고 있다. 하지만 쥐는 치즈를 거의 먹지 않는다.

· 모든 사람은 영국의 날씨가 세계에서 가장 비가 많이 온다고 알고 있다. 하지만 영국의 총 강수량은 한국보다 훨씬 적다.

· 모든 사람은 면도를 하는 것이 당신의 털을 더 두껍게 만든다고 알고 있다. 하지만 털은 여전히 같은 털이다. 털의 잘려진 단면이 두껍게 보일 뿐이다.

· 모든 사람은 '비 오는 날 외출을 하지 마라. 그렇지 않으면 감기에 걸릴 것이다.'라고 말한다. 하지만 감기는 바이러스이고, 바이러스는 빗속에 살지 않는다.

자, 얼마나 많은 사실이 당신을 놀라게 했는가?

문제 해설

1 모든 사람이 알고 있는 어떤 것이 항상 옳은 것은 아니라는 앞 문장으로 보아, 다음에 제시될 내용으로는 '당신을 놀라게 할' 믿음과 사실이라는 말이 나오는 것이 적절하다.

① 당신이 믿어야 하는
② 사람들이 찾으려고 시도하는
③ 당신을 놀라게 할
④ 사람들을 슬프게 만들 수 있는
⑤ 아무도 이해하지 못하는

2 (1) 쥐는 치즈를 거의 먹지 않는다. (mice almost never eat cheese)

(2) 영국은 한국보다 총 강수량이 적다. (its total rainfall is much less than Korea's)

어휘 충전

not always 항상 ~인 것은 아니다   common a. 흔한
belief n. 믿음, 신념   fact n. 사실   mousetrap n. 쥐덫
catch v. 잡다, (병에) 걸리다   weather n. 날씨, 기상
less a. 더 적은   shaving n. 면도   grow v. 자라다, 커지다
thick a. 두꺼운   cut side 절단면, 자른 면   go out 외출하다
cold n. 감기   virus n. 바이러스, 병원체

구문 분석

1행 *Something* [(that) "everyone **knows**"] *is*n't always true.

: something과 everyone 사이에 knows의 목적어가 되면서, something을 선행사로 받는 목적격 관계대명사가 생략되었다.

: not always는 '항상 ~한 것은 아니다'라는 뜻으로 부분 부정을 나타낸다.

8행 "Everyone knows" / (that) shaving **makes *your hair grow*** thicker.

: knows와 shaving 사이에 knows의 목적어절을 이끄는 접속사가 생략되었다.

: 「make+목적어(your hair)+목적격보어(동사원형: grow)」 ~가 ~하게 하다(만들다)

9행 The cut side of the hair only **looks** *thicker*.

: 「감각동사(look)+형용사(thicker)」 ~하게 보이다

3 Animals p. 70

1 ② 2 ④
3 (A) male mice (B) female mice

지문 해석

우리 모두는 새가 노래한다는 것을 알고 있다. 그밖에 다른 동물도 노래할 수 있을까? 물론, 인간은 할 수 있다. 쥐는 어떨까? 쥐가 노래하는 것을 들어본 적이 있는가? 만화에 나오는 쥐를 말하는 것이 아니다. 만화 속의 쥐는 항상 노래를 부른다. 특히, 미키마우스는 노래하는 것을 정말 좋아한다. 하지만 현실의 쥐는 노래를 할 수 없다, 그렇지 않은가? 사실, 쥐는 할 수 있다! 최근에 플로리다 대학의 과학자들이 쥐가 노래를 할 수 있다는 것을 발견했다. 하지만 모든 쥐가 노래를 하는 것은 아니다. 노래를 할 수 있는 쥐는 수컷뿐이다. 수컷은 암컷 짝의 마음을 끌기 위해 노래를 부른다. 암컷 쥐는 높은 목소리를 선호해서, 노래를 듣고 가장 높은 목소리를 선택한다. 그래서 가장 고음으로 노래하는 수컷이 가장 많은 암컷 짝을 차지한다. 다음에 쥐를 보면 아마 당신은 쥐가 노래 부르는 것을 들을 수 있을지도 모른다.

문제 해설

1 쥐들 중에서도 수컷 쥐만이 노래할 수 있다는 내용이다.
　① 만화 속의 동물들
　② 노래할 수 있는 수컷 쥐
　③ 암컷 쥐를 보호하는 방법
　④ 노래할 수 없는 동물들
　⑤ 사람들을 끌어 모으는 특별한 쥐
2 암컷 쥐는 높은 목소리를 선호한다. (The female mice prefer high voices.)
3 (A) 노래할 수 있는 수컷 쥐를 가리킨다. (B) 노래를 듣는 암컷 쥐를 가리킨다.

어휘 충전

cartoon n. 만화　all the time 내내, 언제나
especially ad. 특히　real a. 실제의, 현실의
as a matter of fact 사실은　recently ad. 최근에
discover v. 발견하다　male a. 수컷의 n. 수컷
attract v. 마음을 끌다　female a. 암컷의 n. 암컷
partner n. 파트너, 짝　prefer v. 선호하다　voice n. 목소리
choose v. 선택하다　therefore ad. 그러므로, 때문에

구문 분석

2행 **Have** you *ever* **heard** a mouse sing?
: 「Have+주어+ever+과거분사 ~?」 형태의 현재완료는 주로 ever, never, once, before 등과 같은 부사와 함께 쓰여 경험을 나타내며, '~해 본 적이 있는가?'라고 해석한다.

7행 *The only mice* [**that** sing] **are** male.
: 주격 관계대명사 that이 이끄는 절이 선행사 The only mice를 수식한다.

9행 *the male* [**who** sings the highest] **wins** the most female partners
: 주격 관계대명사 who가 이끄는 절이 선행사 the male을 수식한다.

10행 **Next time** you see a mouse, maybe you can **hear** *it* **sing**.
: next time은 '다음에 ~할 때'라는 뜻으로 접속사적으로 쓰였다.
: 「지각동사(hear)+목적어(it)+목적격보어(동사원형: sing)」
~가 …하는 소리를 듣다

4 Sports p. 72

1 ② 2 ⑤ 3 ④

이미지 맵

(1) means　(2) shape　(3) zero　(4) sounds

지문 해석

축구 점수는 이해하기 쉽다. 그것은 0에서 시작해서 한 번에 1점씩 올라간다. 하지만 테니스의 점수는? 그것은 완전히 다르다. 우선, 테니스에서는 '0'이나 '무(無)'라고 하지 않는다. 대신, 'love'라고 한다. 따라서 테니스 경기 시작 점수는 'love all'이다. 이는 두 선수가 0점이라는 뜻이다. 그 후, 점수는 훨씬 더 복잡해진다. 하지만 지금 그것을 걱정하지는 말자. 테니스 치는 법을 배우면 곧 이해하게 될 것이다. 지금은 왜 테니스에서 '0'이 'love'인지 알아보자. 당신은 아마도 놀라게 될 거다. 그 해답은 달걀에 있다! 여러분도 알다시피 달걀의 형태는 0과 비슷하다. 그래서 때때로 미국 야구 경기에서 '0' 대신 'goose egg'라고 하는 것이다. 하지만 테니스는 프랑스에서 고안되었고, '달걀'은 프랑스 어로 'l'oeuf'이다. 그것은 영어의 'love'와 소리가 비슷하다. 이렇게 해서 '0'이 테니스에서는 'love'가 된 것이다.

*goose egg: 야구 경기에서 양 팀이 한 점도 득점하지 못해서 0의 행렬이 계속되는 경우, 득점판에 마치 거위 알 같은 동그라미가 쭉 이어진다고 해서 붙여진 말이다.

1 테니스에서 0점을 '러브'라고 부른다는 것에 대해 이야기하면서 그 유래에 대해 설명하고 있다.

2 달걀의 형태가 0과 비슷하고, 프랑스 어 발음이 영어의 love와 비슷하기 때문에 사용된 것이라는 언급은 있지만, 테니스 경기에서 달걀이 사용되었는지는 언급되지 않았다.

3 달걀에 대한 내용이 처음 등장하는 문장 앞에 오는 것이 가장 적절하다.

어휘 충전

score n. 득점, 점수   increase v. 증가하다   point n. 점, 점수
at a time 한 번에   totally ad. 완전히   for a start 우선, 먼저
instead ad. 대신에   thus ad. 따라서   match n. 경기
confusing a. 혼란스러운   soon ad. 곧, 이내
shape n. 형태, 모양   goose n. 거위   sometimes ad. 때때로
invent v. 발명하다, 고안하다   French n. 프랑스 어
lie v. 있다, 놓여 있다

구문 분석

1행 Soccer scores are *easy* **to understand**.

: to understand는 형용사(easy)를 수식하는 to부정사의 부사적 용법이다.

5행 It means (that) **both** *players* **have** a score of zero.

: means와 both 사이에 means의 목적어절을 이끄는 접속사가 생략되었다.

:「both+복수 명사+복수 동사」

8행 let's just **see why** zero in tennis *is* love

: why는 의문사로 see의 목적어절을 이끈다.

10행 **That's why** people say "goose egg" for "zero" ~.

:「That's why ~」 그것이 ~하는 이유이다. 그래서 ~하는 것이다

11행 tennis **was invented** in France

: was invented는 수동태 형태이다. 수동태는 주어가 어떤 일이나 동작, 행위를 당하는 경우에 사용된다. 이 문장에서는 tennis가 스스로 고안한 것이 아니고, 누군가에 의해 고안된 것이므로 수동태가 사용되었다.

Review Test
p. 74

❶ A ①
   B 1 light   2 uncomfortable   3 afraid   4 floor
❷ A 1 ③   2 ②
   B 1 fact   2 catch   3 belief   4 go out   5 trap
❸ A ①
   B 1 prefer   2 all the time   3 Therefore   4 attract
      5 discover
❹ A 1 ①   2 ④
   B 1 confusing   2 shape   3 invent   4 understand

Chapter 08

1 History
p. 78

1 ①   2 (1) F   (2) T   (3) F

지문 해석

아이스크림은 전 세계적으로 수백만 명의 사람들에게 사랑받는다. 달콤하고, 시원하고 부드러운 맛은 뜨거운 여름 밤낮으로 우리를 행복하게 한다. 심지어 고대 사람들도 아이스크림을 사랑했다. 역사학자에 따르면, 로마 황제 Nero (서기 37-68)는 아이스크림을 좋아했다. 그는 눈을 모아 가져오게 하기 위해 노예를 산으로 보냈다. 그러고 나서, 노예는 과일과 꿀을 눈에 함께 섞었다. 지구 반대편에서는 중국 당나라(서기 618-907)의 황제들도 아이스크림을 즐겼다. 그들에게는 94명의 얼음 장수가 있었다. 얼음 장수는 황제를 위해 얼린 우유와 쌀, 밀가루에 얼음을 섞었다. 고대의 아이스크림은 정말로 사치스러운 것이었다. 오직 왕과 여왕만이 먹을 수 있었다.

문제 해설

1 고대 로마와 중국의 황제가 아이스크림을 먹었다는 글이다.

2 (1) 고대에는 왕과 여왕만이 아이스크림을 먹을 수 있었다.

  (3) 로마 황제 Nero가 눈에 과일과 꿀을 섞어 먹은 것이고, 중국 당나라 황제들은 얼린 우유와 쌀, 밀가루를 얼음에 섞어 먹었다.

millions of 수백만의, 수많은   creamy a. 크림 같은
ancient a. 고대의   historian n. 역사학자   Roman a. 로마의
emperor n. 황제   enjoy v. 즐기다   send v. 보내다
slave n. 노예   gather v. 모으다
bring A back A를 갖고 돌아오다   mix v. 섞다
frozen a. 냉동된   flour n. 밀가루   luxury n. 호화로움, 사치

구문 분석

2행 The sweet, cool, and creamy taste **makes** *us* happy
: 「makes+목적어(us)+형용사(happy)」 ~을 ~하게 하다

6행 He sent his slaves into the mountains / to **gather**
snow *and* **bring** it back.
: to gather, bring은 부사적 용법으로 목적을 나타내고 gather와
bring은 and로 연결된 병렬 구조이다.

2 World News p. 79

1 ④   2 ③

지문 해석

당신은 자신의 이름을 좋아하는가? 이름이 당신과 어울린다고
생각하는가? 만약 그렇다면, 운이 좋은 것이다! 많은 아이는 부
모님이 지어준 이름을 좋아하지 않는다. 아이들은 그 이름이 우
스꽝스럽고 이상하게 들린다고 생각지도 모른다. 그들은 다
른 아이들이 이름을 가지고 놀려서 불행할 수도 있다. 혹은 이
름이 너무 흔하다고 생각할 수도 있다. 10대인 영국인 George
Garratt은 자신의 이름이 너무 흔하고 재미없다고 생각했다.
George는 덜 흔하고, 더 독특한 이름을 원했다. 그래서 그는
19세가 되었을 때, 진짜로 이름을 바꿨다. 그 이름은 분명 더는
지루하지 않다. 지금 그의 이름은 '슈퍼맨 스파이더맨 배트맨 울
버린 헐크 플래시를 합친 것보다 빠른 캡틴 판타스틱'이다. 믿을
수 있겠는가? 그의 이름은 세계에서 가장 긴 이름으로 기네스북
에 올랐다. 그는 매우 큰 여권이 필요할 것이다.

문제 해설

1 George Garratt은 영국인 10대 청소년이고, 이름이 매우 평
  범하고 재미없다고 생각하여 이름을 바꿨다. 그의 새 이름은
  가장 긴 이름으로 기네스북에 올라 있다.

2 George Garratt은 자신의 이름이 평범하다고 생각했기 때문
  에 덜 흔하고, 더 독특한 이름을 갖고 싶어 했다. 따라서 less
  common, more unique가 가장 적절하다.

suit v. 어울리다   lucky a. 운이 좋은   funny a. 우스운
unhappy a. 불만족스러운   make fun of ~을 놀리다
common a. 흔한   boring a. 지루한   unique a 독특한
actually ad. 실제로, 정말로   change v. 바꾸다, 변경하다
definitely ad. 분명히   combined a. 결합한, 전부 합친
list v. 목록에 포함시키다.   passport n. 여권

구문 분석

1행 If you **do**, lucky you!
: do는 동사의 반복을 피하기 위해 쓰인 대동사로 앞 문장의 think
(it suit you)를 대신한다.

2행 Many kids don't like *the name* [(which) their parents
gave them].
: the name과 their parents 사이에 gave의 직접목적어가 되면서
the name을 선행사로 받는 목적격 관계대명사가 생략되었다. 사물
을 선행사로 받는 관계대명사는 which나 that이다.

9행 It **was listed** in the Guinness World Records **as** the
world's longest name.
: was listed는 '목록에 올라 있다'라는 뜻으로 수동태 구문이다.
: as는 '~로서'라는 의미로 자격, 지위를 나타내는 전치사이다.

3 Nature p. 80

1 ④   2 ④   3 ④

지문 해석

우리가 먹는 음식이 건강에 영향을 준다는 것은 모두가 알고 있
다. 하지만 그것이 우리 지구의 건강에도 영향을 미친다는 사실
을 알았는가? 육류가 가장 큰 문제이다. 너무 많은 육류를 섭취
하는 것은 심장병과 암을 유발한다. 이는 지구온난화와 기후 변
화 또한 가속화한다. 어떻게? 만약 우리가 육류를 먹고 싶다면,
소나 양, 돼지, 닭과 같은 동물을 길러야 한다. 이 동물은 농작
물과 녹지의 풀을 모두 먹어버리고, 물을 모두 마셔버린다. 이는
산림 파괴와 대기오염, 수질오염의 원인이 된다. 동물은 또한 엄
청난 양의 메탄가스를 배출하는데, 이것은 온실가스 중의 하나이
다. 온실가스는 우리의 지구를 점점 더 뜨겁게 만들고 있다. 그
렇다면, 육류보다는 채소를 좀 더 먹는 것이 어떨까? 당신의 건
강뿐만 아니라 지구에도 좋다. 고기를 덜 먹고, 지구를 구하는
데 도움을 주자!

1 육류를 섭취하는 것이 지구 온난화와 기후 변화를 가속시키므로 육식보다는 채식을 하자는 이야기이다.

2 너무 많은 육류를 섭취하는 것이 심장병과 암을 유발하고, 지구 온난화와 기후 변화를 가속시킨다고 했지만, 비만을 일으킨다는 것은 언급되지 않았다.

3 온실효과로 인해 지구가 점점 더 뜨거워지는 것이다.
① 점점 덜하게 ② 점점 더 빠르게 ③ 점점 더 잘하게
④ 점점 더 뜨겁게 ⑤ 점점 더 시원하게

어휘 충전

affect v. ~에 영향을 미치다   health n. 건강   planct n. 행성
meat n. 고기   cause v. ~을 야기하다   heart disease 심장병
cancer n. 암   speed up 속도를 빠르게 하다
global warming 지구 온난화   climate change 기후 변화
raise v. 기르다, 사육하다   eat up ~을 먹어 없애다
crop n. 농작물   drink up 마셔버리다   pollution n. 오염
produce v. 생산하다   huge a. 거대한
an amount of 상당한 양의   vegetable n. 채소
save v. 구하다

구문 분석

1행 Everyone knows / **that** *the food* [(which) we **eat**] *affects* our health.

: that은 knows의 목적어절을 이끄는 접속사이다.

: the food와 we 사이에 eat의 목적어가 되면서 the food를 선행사로 받는 목적격 관계대명사가 생략되었다. 사물을 선행사로 받는 관계대명사는 which나 that이다.

4행 **If** we want **to eat** meat, we have to raise *animals such as* cows, sheep, pigs, and chickens.

: If는 '만약 ~한다면'이라는 의미의 접속사이다.

: to eat은 to부정사의 명사적 용법으로 want의 목적어 역할을 한다.

: such as는 '예를 들어'라는 뜻으로 such as 뒤에 오는 말은 animals에 대한 예시이다.

10행 **how about** eating more vegetables than meat?

: 'how about …?'은 '~이 어떨까?'라는 뜻으로 제안의 의미를 지니고 있다. about 뒤에 동사가 올 경우 전치사의 목적어가 되므로 동명사의 형태를 취해야 한다.

4 Psychology
p. 82

1 ④   2 (1) ⓑ (2) ⓒ (3) ⓐ
3 라벤더 색상은 파란색과 회색이 혼합되어 있어 차분함을 주고 잠이 잘 오도록 돕는다.

이미지 맵

(1) Special Healing Powers of Colors   (2) calming
(3) sleep   (4) headaches   (5) energy   (6) lift

지문 해석

색이 없는 세상을 상상해 봐라. 얼마나 지루한가! 얼마나 우울한가! 더 나쁜 것은 위험해질 수도 있다. 신호등에서 있을 모든 사고를 한번 생각해 봐라. 분명히, 색은 단순히 예쁜 것 이상이다. 색은 우리가 안전하도록 도와준다. 하지만 색에 치유 능력이 있다는 것도 알고 있었는가? 사실이다. 색은 우리의 몸과 기분에 영향을 준다. 예를 들어, 파란색과 회색은 차분하게 해 준다. 차분한 기분은 잠을 잘 자도록 도와준다. 그래서 라벤더 색이 침실용으로 인기 있다. 라벤더 색은 파란색과 회색이 혼합된 색이다. 녹색은 차분하게 해 주는 또 다른 색이다. 녹색은 특히 두통에 좋다. 그래서 만약 머리가 아프면 실제로 녹색인 공간으로 가봐라. 숲 속이나 공원에서 산책하는 것이 이상적이다. 노란색은 어떨까? 노란색은 햇빛의 색이다. 마치 해처럼, 힘과 좋은 기운을 가져다준다. 기운을 북돋기 위해 한번 밝은 노란색 물건 근처에 앉아 봐라. 색은 정말 특별한 능력을 가지고 있지 않은가! 여러분이 가장 좋아하는 색을 한번 봐라. 어떤 기분을 느끼게 해 주는가?

문제 해설

1 파란색과 회색은 사람을 차분하게 해 주고, 녹색은 두통을 낮게 해 주며, 노란색은 기운을 내개 해 준다는 내용으로 색의 치유 능력에 대한 이야기이다.
① 색의 혼합
② 색맹의 종류
③ 올바른 색을 선택하는 방법
④ 색의 특별한 치유 능력
⑤ 여성에게 가장 인기 있는 색상

2 (1) 초록색은 두통에 효과적이다.
(2) 노란색은 기운을 북돋아 준다.
(3) 파란색은 숙면을 돕는다.

3 파란색과 회색이 마음을 차분하게 해 주고, 차분한 기분은 잠을 잘 수 있게 해 준다. 라벤더 색이 파란색과 회색의 혼

합 색이므로 침실용으로 인기가 있다. (For instance, blue and gray colors are calming. Feeling calm helps you sleep well. That's why lavender is popular color for bed rooms. It's a mixture of blue and gray.)

어휘 충전

imagine v. 상상하다 color n. 색, 빛깔
dull a. 따분한, 재미없는 depressing a. 우울하게 만드는
dangerous a. 위험한 accident n. 사고
traffic light (교통) 신호등 clearly ad. 분명히
keep v. 유지하다 healing a. 치유하는
affect v. ~에 영향을 미치다 mood n. 기분
for instance 예를 들어 calm v. 진정시키다
lavender n. 라벤더 mixture n. 혼합물 especially ad. 특히
headache n. 두통 hurt v. 아프다 ideal a. 이상적인, 완벽한
cheer n. 생기, 쾌활함 spirit n. 정신, 영혼
lift n. 활기를 주는 힘 take a look 한번 보다

구문 분석

2행 **What's worse**, it **would** also be dangerous.
: what's worse는 '한 술 더 떠서'라는 뜻으로 앞의 문장보다 더 안 좋은 상황을 이야기할 때 쓰인다.
: would는 '~일 것이다'라는 의미로 상상하는 일의 결과를 말할 때 쓰인다.

3행 Clearly, colors **are more than just** pretty.
: 「be more than just」단지 ~한 것 이상이다, ~에만 그치지 않다

9행 go *somewhere* [**that's** really green]
: 주격 관계대명사 that이 이끄는 절이 선행사 somewhere를 수식한다.

9행 **Walking** in a forest or park **is** ideal.
: Walking이 이끄는 동명사구가 주어이고, 동명사구는 단수 취급한다.

11행 **To give** your spirits a lift, **try sitting** near bright yellow things.
: To give는 부사적 용법으로 목적을 나타낸다.
: 「try+-ing」시험 삼아 (한번) ~해 보다

1 A ②
 B **1** mix **2** luxury **3** frozen **4** millions of

2 A **1** ② **2** ③
 B **1** definitely **2** suit **3** passport **4** list

3 A ④
 B **1** for **2** up **3** as **4** up

4 A **1** ① **2** ③
 B **1** dangerous **2** mood **3** hurt **4** calm

Chapter 09

1 World News
p. 88

1 ③
2 모금을 해서 전쟁으로부터 아이들을 구하기 위해

지문 해석

당신은 걷는 것이 가난한 아이들을 도울 수 있다는 것을 아는가? Jean Beliveau라는 이름의 한 남자가 지금 그것을 하고 있다. 그는 모금을 해서 전쟁으로부터 아이들을 구하기 위해 전 세계를 걸어 다니고 있다. 그는 11년 전, 자신의 마흔다섯 번째 생일에 가족에게 작별을 고하고 걷기 시작했다. 지금까지 Beliveau씨는 여섯 개 대륙의 64개국을 거치면서 76,000킬로미터를 걸었다. 그 시간 동안, 낯선 사람들이 그에게 음식과 잘 공간을 제공했다. 그는 때때로 교회에서 잠을 잤고, 심지어 감옥에서도 잤다. 그는 다만 새 신발을 사는 데만 돈을 썼다. 이제 그는 예순여섯 번째 신발을 신고 있다. 우리는 당신이 안전하게 집에 돌아오기를 바라요, B 선생님!

문제 해설

1 11년 동안, 여섯 개 대륙의 64개국을 통과하면서 76,000킬로미터를 걸었다. 음식과 잘 곳은 낯선 사람들이 제공해 주었다.
 ① 그는 지금까지 얼마나 오랫동안 걸었는가?
 ② 그는 얼마나 많은 나라를 다녀왔는가?
 ③ 그는 지금까지 돈을 얼마나 모금했는가?
 ④ 누가 그에게 음식과 잘 곳을 제공해 주었는가?
 ⑤ Jean Beliveau는 언제 걷기 시작했는가?

2 He was walking around the world to raise money and save children from wars.라는 문장에서 Jean Beliveau 가 걷기 시작한 이유를 알 수 있다.

어휘 충전

poor a. 가난한   walk around 걸어서 돌아다니다
raise v. 모으다   save v. 구하다
say goodbye 작별 인사를 하다   through prep. ~을 통과하여
continent n. 대륙   during prep. ~동안, ~하는 중에
stranger n. 낯선 사람   sometimes ad. 때때로   jail n. 감옥
spend v. 쓰다, 지출하다   pair n. 짝, 켤레   wish v. 바라다
journey n. 여행, 여정

구문 분석

2행 *A man* [**named** Jean Beliveau] *is* doing it now.
: named Jean Beliveau는 'Jean Beliveau라고 이름 지어진'이 라는 뜻으로 A man을 수식하며, A man과 named 사이에 「주격 관계대명사+be동사」를 넣어 보면 구조를 이해하기 쉽다.

4행 ~ **to raise** money *and* **save** children from wars
: to raise는 to부정사의 부사적 용법으로 목적을 나타낸다. raise 와 save가 and로 연결된 병렬 구조이다.

7행 strangers **gave** *him* food and *places* [to sleep]
: 「수여동사(gave)+간접목적어(him)+직접목적어(food and places)」 ~에게 …을 주다
: to sleep은 앞에 나온 places를 수식하는 to부정사의 형용사적 용법이다.

---

2 Stories
p. 89

1 ⑤   **2** ④

지문 해석

Mel Blanc은 매우 성공한 미국의 성우였다. 그는 포키 피그(워 너 브라더스 사의 만화영화에 나오는 돼지), 벅스 바니(워너 브라 더스 사의 만화 영화에 나오는 토끼)와 많은 유명한 만화 속 등 장인물의 목소리를 만들어 냈다. 그는 이 익살스러운 목소리를 녹음하는 데 인생을 보냈다. 하지만 1961년에 Blanc 씨는 매 우 심한 자동차 사고를 당했다. 그는 몇 주 동안 혼수상태였다. 그의 가족은 병원에서 그의 곁을 지켰다. 그들은 계속 그에게 말 을 걸었지만, 그는 대답하지 않았다. 그러던 어느 날, 그들은 뭔 가 새로운 것을 시도했다. 그들은 Blanc 씨의 만화 등장인물 의 목소리로 그에게 말을 걸었다. 갑자기 Blanc 씨가 말하기 시

작했다. 그는 벅스 바니의 목소리로 "이봐, 의사 선생, 무슨 일이 야?"라고 말했다. 그러고 나서 그는 다시 깨어났다!

문제 해설

1 사고 이후에 지속적인 성우 활동을 했는지에 대한 여부는 언 급되지 않았다.

2 가족들이 만화 속 등장인물의 목소리로 말하자 몇 주 동안 대 답이 없던 Blanc 씨가 갑자기 말을 하기 시작한 것이므로 All of a sudden이 가장 적절하다.

어휘 충전

successful a. 성공한   voice actor 성우   voice n. 목소리
character n. 등장인물   spend v. (시간을) 보내다
life n. 인생, 삶   record v. 녹음하다   accident n. 사고
in a coma 혼수상태에 빠져서   all the time 줄곧, 내내
respond v. 대답하다   try v. 시도하다   speak v. 말하다
awake a. 깨어 있는   all of a sudden 갑자기

구문 분석

3행 He **spent** *his life* recording these funny voices.
: 「spend time[money] −ing」 ~하는 데 시간[돈]을 쓰다. his life 가 시간의 개념으로 사용되었다.

6행 Then one day, they tried *something* **new**.
: −thing, −body, −one으로 끝나는 단어는 형용사가 명사 뒤에서 명사를 수식한다.

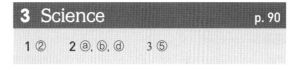

3 Science
p. 90

1 ②   **2** ⓐ, ⓑ, ⓓ   **3** ⑤

지문 해석

당신은 영원히 살고 싶은가? 무엇이 영원히 살 수 있을까? 흡 혈귀가 그렇다. 요정 역시 그렇다. 하지만 그들은 책과 영화에만 존재한다. 과학자들은 현실 세계에서 영원히 살 수 있는 하나의 동물을 알고 있다. 그 독특한 생명체는 죽지 않는 해파리이다. 죽지 않는 해파리는 세계 도처의 따뜻한 바다에서 산다. 그들은 자신을 아주 작은 알로 바꿀 수 있다. 그 다음에 그들은 자라서 아주 작은 폴립으로 변한다. 그리고 그들은 여덟 개의 촉수를 가 진 1밀리미터 크기의 해파리로 변한다. 마지막으로 그들은 아흔 개의 촉수를 가진 4.5밀리미터 크기의 해파리가 된다. 그런 뒤에 그들은 처음부터 다시 그 주기를 시작한다. (그들은 촉수를 이용 해서 먹이를 잡는다.) 그들은 죽을 필요가 없다. 절대 죽지 않는 것, 얼마나 대단한가!

문제 해설

1 알에서 폴립으로, 폴립에서 작은 해파리로, 작은 해파리에서 큰 해파리로, 그리고 다시 알로 변환하는 생애 주기를 반복하는 죽지 않는 해파리에 대한 이야기이다.
   ① 강에 사는 해파리
   ② 결코 죽지 않는 생명체
   ③ 흡혈귀에 대한 재미있는 사실
   ④ 촉수의 역할
   ⑤ 영원히 사는 방법

2 해파리는 '© 아주 작은 알 → ⓐ 폴립 → ⓑ 여덟 개의 촉수를 가진 1밀리미터 크기의 해파리 → ⓓ 아흔 개의 촉수를 가진 4.5밀리미터 크기의 해파리 → ⓒ 아주 작은 알'의 주기를 반복한다.

3 자신을 분화해서 영원히 산다는 내용 사이에, 촉수를 사용해서 먹이를 얻는다는 문장은 문맥상 어색하다.

어휘 충전

forever ad. 영원히, 평생 vampire n. 흡혈귀 elf n. 요정
exist v. 존재하다 unique a. 독특한, 특별한
creature n. 생명체 immortal a. 죽지 않는
jellyfish n. 해파리 ocean n. 바다
all over the world 전 세계에
change A into B A를 B로 변화시키다 tiny a. 아주 작은
grow v. 자라다 become v. ~이 되다 cycle n. 주기
all over again 되풀이해서 capture v. 잡다 prey n. 먹이
die v. 죽다

구문 분석

2행 So can *elves*.
: 「so+동사+주어」는 앞에 나온 내용이 긍정문일 때 해당 내용을 받아 '~도 또한 그렇다'라는 뜻을 나타내는 표현으로, so 다음에 나오는 동사는 앞 문장에 쓰인 동사(be동사, 조동사, 일반동사의 경우 do)와 일치시킨다.

3행 Scientists know *one animal* [in the real world] [**that** *can* live forever].
: 주격 관계대명사 that이 이끄는 절이 선행사 one animal을 수식한다.

6행 They can **change** *themselves* **into** *tiny eggs*.
: change A into B A를 B로 바꾸다
: themselves는 주어 They와 동일한 것을 가리키는 재귀대명사이다.

11행 **To never die**, how great **that** would be!
: how 감탄문의 주어인 that은 To never die를 가리킨다.

---

4 Life p. 92

1 ③ 2 ⑤ 3 ⑤

이미지 맵
(1) first (2) common (3) sits (4) friendly

지문 해석

Anne에게,

저는 14세 소년이에요. 저는 이제 막 한국에서 미국으로 이사했어요. 오늘은 등교 첫 날이었어요. 제가 교실에 들어갔을 때, 반 친구들은 저를 이상하게 쳐다봤어요. 왜냐하면 제가 그들과 다르기 때문이죠. 저는 전혀 친구를 사귈 수 없었어요. 저는 너무 외롭고 슬퍼요. 저는 더는 학교에 가고 싶지 않아요. 제발 저를 도와주세요!

진심을 다해,

재경

재경에게,

학교를 옮기는 것은 절대 쉽지 않아요. 그리고 다른 나라로 이사 가는 것은 정말 힘들이에요. 슬프고 외로운 느낌이 드는 게 당연해요. 그러니까 마음을 편히 가지도록 하세요. 상황은 나아질 거예요. 반 친구들에게 먼저 말을 걸어 보세요. 그럼 그들 중에 한두 친구를 곧 발견할 수 있을 거예요. 당신의 반 친구에게서 공통점을 찾아보세요. 당신의 옆에 앉는 친구에게 말을 걸어 보고 좋아하는 것에 대해 물어보세요. <u>틀림없이 그는 당신과 친구가 되는 것을 좋아할 거예요.</u> 계속 웃고, 친절하게 대하고, 자연스럽게 행동하세요!

진심을 다해,

조언을 해 주는 아줌마, Anne

문제 해설

1 친구가 없어서 외롭고 슬프며, 학교에 가기 싫어하는 것으로 보아 우울한 심정에서 편지를 썼음을 알 수 있다.

2 옆에 앉은 친구에게 말을 걸고, 그 친구가 좋아하는 것에 대해 물으면 '그 친구가 글쓴이를 좋아하게 될 것이라고 장담한다'라는 내용으로 이어지는 것이 가장 적절하다.

3 친구의 집을 정기적으로 방문하라는 내용은 언급되지 않았다.
   ① 모든 사람에게 친절하게 대해라.
   ② 가능한 자주 웃어라.
   ③ 공통점을 찾아라.

④ 반 친구에게 먼저 다가가도록 노력해라.
⑤ 당신의 친구의 집을 정기적으로 방문하도록 노력해라.

[어휘 충전]

move v. 이사하다, 옮기다   come into ~으로 들어가다
strangely ad. 이상하게   be different from ~와 다르다
make friends 친구를 사귀다   not ~ at all 전혀 ~가 아닌
lonely a. 외로운   another 다른, 또 하나의   natural a. 당연한
take it easy 서두르지 않다   get better 나아지다, 호전되다
among prep. ~중에   in common 공통으로   sit v. 앉다
keep v. 유지하다   friendly a. 친절한

[구문 분석]

3행 my classmates were **looking at** *me* **strangely** because I**'m different from** them

: look at은 감각동사가 아니라 '~을 보다'라는 의미의 행동을 나타내는 동사로 쓰였고, 뒤에 목적어(me)와 부사(strangely)가 왔다.

: be different from ~와 다르다

4행 I could**n't** make friends **at all**.

: not ~ at all 전혀 ~이 아니다

10행 **Moving** to a new school *is* never easy.

: Moving이 이끄는 동명사구가 주어, 동명사구 주어는 단수 취급한다.

11행 **It**'s natural *to feel sad and lonely*.

: It은 가주어, to feel 이하가 진주어이다.

14행 **Talk** to *the one* [**who** *sits* next to you] *and* **ask** **him** about *the things* (that) [he likes].

: Talk와 ask가 and로 연결된 명령문의 병렬 구조이다. him은 the one을 지칭한다.

: 주격 관계대명사 who가 이끄는 절이 선행사 the one을 수식한다.

: the things와 he 사이에 likes의 목적어가 되고 the things를 선행사로 받는 목적격 관계대명사가 생략되었다. 사물을 선행사로 받는 관계대명사는 which와 that이지만 선행사가 -thing인 경우, 주로 that을 쓴다.

15행 **Keep** smiling, **be** friendly, *and* **be** yourself!

: Keep, be, be로 시작하는 명령문 세 개가 and로 연결된 병렬 구조이다.

❶ A ①
   B 1 pair 2 during 3 stranger 4 raising

❷ A 1 ② 2 ④
   B 1 respond 2 character 3 spend 4 life

❸ A ①
   B 1 become 2 vampire 3 changed 4 creatures
     5 immortal

❹ A 1 ⑤ 2 ③
   B 1 move 2 in common 3 Keep 4 lonely

Chapter 10

1 Stories   p. 98

1 ③   2 they can hardly ever go outside

[지문 해석]

Paulo와 Eliana는 47년 동안 함께 살고 있다. 그들은 결혼한 것도 아니고, 가족도 아니다. 그들은 단지 친구이다! 그들은 세 살에 소아마비에 걸려서 사는 곳을 병원으로 옮겨야 했다. 그들의 집은 지금도 브라질에 있는 병원이다. 소아마비는 그들의 신체를 심하게 훼손했다. 그들은 기계 없이는 숨을 쉬거나 움직일 수 없어서 거의 바깥에 나갈 수 없다. 그들은 불행할까? 아니다! 그들은 항상 웃고 농담을 한다. 그리고 이제 그들은 영화 제작자이기도 하다. 그들은 3D 만화영화 시리즈인 'Leca와 친구들의 모험'을 제작했다. 이 영화는 Paulo와 Eliana가 병원에서 함께 보낸 인생에 대한 내용이다. 멋지지 않은가?

[문제 해설]

1 Paulo와 Eliana는 소아마비에 걸려 병원에 살고 있지만, 항상 웃고 농담을 하며 영화까지 제작했다는 점에서 긍정적인 성격이라는 것을 알 수 있다.

① 이기적인 ② 부정적인 ③ 긍정적인 ④ 예민한 ⑤ 수다스러운

2 hardly ever는 '거의 ~않다'라는 의미이고, 빈도부사는 be동사나 조동사 뒤, 일반동사 앞에 위치한다.

어휘 충전

marry v. 결혼하다 catch v. (병에) 걸리다 hospital n. 병원
still ad. 여전히, 아직도 Brazil n. 브라질 badly ad. 심하게
damage v. 손상을 주다 breathe v. 호흡하다, 숨 쉬다
machine n. 기계 hardly ever 거의 ~않다
unhappy a. 불행한 laugh v. 웃다 joke v. 농담을 하다
filmmaker n. 영화 제작자 animated a. 만화 영화로 된
series n. 연속, 시리즈

구문 분석

1행 Paulo and Eliana **have lived** together **for** 47 years.
: 「have+과거분사+for+기간」 현재완료 중 계속적 용법으로 과거
부터 현재까지 어떤 동작이나 상태가 계속되는 것을 의미한다.

3행 **When** they were three, they **caught** polio *and* **had
to** move into a hospital.
: when은 '~할 때'라는 의미를 가진 시간 부사절을 이끄는 접속사
이다.
: caught와 had to가 and로 연결된 병렬 구조이고, had to는
have to의 과거 형태로 '~해야 했다'는 의미이다.

2 Health
p. 99

1 ⑤   2 ④

지문 해설

당신의 몸은 놀랍고 튼튼하다. 하지만 아주 미세한 것이 당신에
게 해를 끼치고 당신을 아프게 할 수 있다. 이 작은 것들은 무엇
일까? 그것들은 세균이다. 당신은 세균을 볼 수 없지만, 그것들
은 어디에든 있다. 또한, 세균은 당신의 몸 안으로 매우 쉽게 들
어간다. 그것들은 감기와 다른 많은 질병을 일으킨다. 하지만 당
신은 스스로를 보호할 수 있다. 어떻게? 손을 씻음으로써! 세균
은 비누와 물을 싫어한다. 무엇보다도 세균은 비눗물에 손을 비
벼서 씻는 것을 싫어한다. 그러니 당신이 할 수 있을 때마다 손
을 씻어라. 먹기 전에, 화장실을 사용한 후에, 재채기나 기침을
할 때마다 손을 씻어라. 또한, 책상과 키보드를 깨끗이 해라. 세
균은 더러운 키보드를 정말 좋아한다. 책상에서 음식을 먹으면
당신은 음식을 약간 흘리게 된다. 세균은 이것을 정말로 좋아한
다. 그러니 책상에서 먹지 않도록 노력해라. 청결을 유지하고 세
균이 없는 상태를 유지하라!

문제 해설

1 비눗물로 손을 씻음으로써 세균을 제거할 수 있다.

2 '손을 씻음으로써'라고 방법을 알려주는 문장이므로 'How?'
  바로 다음에 오는 것이 적절하다.

어휘 충전

amazing a. 놀라운 tiny a. 아주 작은 harm v. 해를 끼치다
germ n. 세균 inside prep. ~의 안에 cause v. 야기하다
flu n. 독감 illness n. 병 protect v. 보호하다, 지키다
most of all 무엇보다도 rub v. 문지르다 soapy a. 비누의
sneeze v. 재채기하다 cough v. 기침하다
drop v. ~을 떨어뜨리다 bit n. 부스러기
stay v. ~인 채로 있다 free of ~이 없는

구문 분석

1행 the tiniest things can **harm** you *and* **make** *you* sick
: harm과 make가 and로 연결된 병렬 구조이다.
: 「make+목적어(you)+형용사(sick)」 ~을 …하게 만들다

6행 do it **whenever** you can
: whenever는 부사절을 이끄는 복합관계부사로 사용되며, '~할 때
는 언제든지', '~할 때 마다'라는 뜻이다.

7행 Do it [**before** you eat], [**after** you use the toilet], *and*
[**whenever** you sneeze or cough].
: before, after, whenever가 이끄는 부사절이 and로 연결된 병렬
구조이다.

8행 **keep** *your desk and keyboard* clean
: 「keep+목적어(your desk and keyboard)+형용사(clean)」
~을 …하게 유지하다

3 Issue
p. 100

1 ①   2 ⑤   3 ③

지문 해설

세계에서 가장 긴 강은 무엇일까? 어떤 사람들은 나일 강이라
고 하고, 또 다른 사람들은 아마존 강이라고 한다. 누가 맞는지
알아보도록 하자. 강을 측정하는 것은 쉬운 일이 아니라는 것은
기억해 두어라. 큰 강은 많은 작은 강으로부터 비롯된다. 그래서
강이 정확히 어디에서 시작하는지 말하기 어렵고 사람들은 그
에 대해 논쟁을 할지도 모른다. 그럼에도 불구하고 유네스코 과
학자들에 따르면 나일 강의 길이는 6,650킬로미터이고 아마존
강은 6,400킬로미터이다. 그러므로 나일 강이 세계에서 가장 긴

강이다. 하지만 2007년에 브라질 과학자들이 아마존 강을 다시 측정하였고 아마존 강이 6,800킬로미터라는 것을 알아냈다. 그 후, 브라질 과학자들은 아마존 강이 나일 강보다 길다고 주장하였다. 하지만 그들의 결과가 모든 과학자에게 받아들여진 것은 아니다. 당신은 어느 편인가?

문제 해설

1 나일 강과 아마존 강의 길이에 대해 이야기하면서 가장 긴 강이 어떤 강인가에 대해 논쟁하고 있다.
   ① 세계에서 가장 긴 강
   ② 세계에서 가장 아름다운 강
   ③ 큰 강은 어디에서부터 시작하는가?
   ④ 강의 길이를 측정하는 방법
   ⑤ 나일 강과 아마존 강의 차이점

2 작은 강에서 큰 강으로 이어지기 때문에 작은 강이 정확히 어디서부터 시작하는지 알 수 없어 측정하기 힘들다.

3 브라질 과학자들의 연구 결과는 아마존 강이 나일 강보다 더 길다는 것이다. 따라서 '아마존 강이 세계에서 가장 긴 강이다.'라는 문장을 their result로 볼 수 있다.
   ① 나일 강은 세계에서 가장 긴 강이다.
   ② 나일 강은 아마존 강보다 길다.
   ③ 아마존 강은 세계에서 가장 긴 강이다.
   ④ 어느 강이 더 길다고 말하기 어렵다.
   ⑤ 그들은 나일 강이 6,800킬로미터라는 것을 발견했다.

어휘 충전

river n. 강 find out 알아내다 keep in mind 명심하다 measure v. 측정하다 task n. 일, 과업 exactly ad. 정확히 argue v. 다투다, 주장하다 nevertheless ad. 그럼에도 불구하고 scientist n. 과학자 Brazilian a. 브라질(인)의 re-measure v. 다시 재다 claim v. 주장하다 result n. 결과 accept v. 받아들이다 side n. 쪽, 편

구문 분석

2행 Let's **find out** / **who** is right.
: who는 find out의 목적어 역할을 하는 명사절을 이끄는 의문대명사이다. 의문사이면서 명사로서 주어 역할을 한다.

2행 **keep in mind** / **that** measuring a river _is_ not an easy task
: keep in mind ~을 명심하다
: that 이하는 keep의 목적어 역할을 하는 명사절이다.
: measuring이 이끄는 동명사구가 주어, 동명사구 주어는 단수 취급한다.

4행 **it's** difficult to say / exactly **where** a river begins, ~
: it은 가주어이고, to say ~ river begins가 진주어이다. 의문사 where는 say의 목적어절을 이끈다.

4 Science

1 ⑤   2 ③
3 Jack Andraka가 15세 때 가족의 친한 친구가 췌장암으로 사망해서

이미지 맵

(1) The Teen Scientist Who Invented a Cancer Test
(2) teenager   (3) articles   (4) invented   (5) scientist

지문 해석

Jack Andraka는 꽤 평범한 미국인 10대 청소년이다. 그는 자전거 타기, 농구 하기, 텔레비전 보기를 좋아한다. 하지만 Jack은 매우 특별한 이유 하나 때문에 다른 보통의 10대와는 다르다. 그 이유는 무엇일까? 그는 췌장암을 발견할 수 있는 종이 감지기를 발명했다. 그리고 그는 겨우 15세에 그것을 발명했다. Jack의 감지기는 통용되는 테스트보다 168배 빠르고, 값이 26,000배 싸다. 그가 어떻게 종이 감지기를 발명하게 되었을까? Jack이 15세 때 가족의 친한 친구가 췌장암으로 사망했다. 그 후 Jack은 췌장암에 대해서 읽기 시작했다. 그는 온라인에서 찾을 수 있는 과학 관련 기사를 모두 공부했다. 마침내 그는 놀랍고도 새로운 종이 감지기를 만들었다. 지금 그는 유명한 젊은 과학자이고, 상금으로 받은 75,000달러를 갖고 있다. 그 돈은 Jack이 대학에 가서 암을 이겨내는 새로운 방법을 배우는 데 도움이 될 것이다.

문제 해설

1 15세에 췌장암 진단 감지기를 발명한 소년에 대한 이야기이다.
   ① 10대의 희귀병에 대한 연구
   ② 희귀병 치료법의 발견
   ③ 새로운 종이 감지기의 부작용
   ④ 새로운 치료법을 개발한 의사
   ⑤ 암 진단 방법을 발명한 10대 과학자

2 Jack Andraka는 평범한 10대 청소년으로 15세에 췌장암 진단 감지기를 발명했다. 온라인에서 기사를 찾아 췌장암에 대해 공부했으며 현재는 유명한 젊은 과학자이다. 하지만, 어려서부터 호기심이 많고 과학 수업을 좋아했다는 내용에 대한 언급은 없다.

29

3 'How did he come to invent it? A close friend of family died of pancreatic cancer ~. After that, Jack started reading about pancreatic cancer.'에서 췌장암 공부의 계기를 찾을 수 있다.

어휘 충전

fairly ad. 상당히, 꽤   ordinary a. 보통의, 평범한
ride v. 타다   unlike prep. ~와 다른   reason n. 이유
invent v. 발명하다   sensor n. 감지기   cancer n. 암
cheap a. 싼   current a. 현재의, 최신의   come to ~하게 되
다   die of ~으로 인해 죽다   scientific a. 과학적인
article n. 글, 기사   create v. 창안하다, 만들어 내다
famous a. 유명한   prize money 상금   college n. 대학
fight v. 싸우다

구문 분석

2행 He enjoys **riding** his bike, **playing** basketball, *and* **watching** TV.

: enjoy는 동명사를 목적어로 취하고, riding, playing, watching 이 and로 연결된 병렬 구조이다.

5행 He invented *a paper sensor* [**that** can find pancreatic cancer].

: 주격 관계대명사 that이 이끄는 절이 선행사 a paper sensor를 수식한다.

6행 Jack's sensor is **168 times faster** *and* **26,000 times cheaper** than current tests.

: 「… times+비교급+than」 ~보다 …배 ~한
: 168 times faster와 26,000 times cheaper가 and로 연결된 병렬 구조이다.

7행 How did he **come to invent** it?

: 「come to+동사원형」 ~하게 되다, ~에 이르다

10행 He studied *all of the scientific articles* [(that) he could **find** online].

: articles와 he 사이에 find의 목적어가 되고, all ~ articles를 선행사로 받는 목적격 관계대명사가 생략되었다. 사물을 선행사로 받는 관계대명사는 which와 that인데, 선행사에 all이 있으므로 주로 that을 쓴다.

12행 The money will **help** *Jack* **go** to college *and* **learn** *new ways* [**to fight** cancer].

: 「help+목적어(Jack)(+to)+동사원형」 ~가 …하는 것을 돕다
: go와 learn이 and로 연결된 병렬 구조이다.
: to fight는 new ways를 수식하는 형용사적 용법이다.

Review Test   p. 104

❶ A ③
 B **1** marry **2** machine **3** still **4** catch

❷ A **1** ② **2** ⑤
 B **1** sick **2** hate **3** germ **4** soap **5** flu

❸ A ③
 B **1** on **2** out **3** about **4** in

❹ A **1** ② **2** ③
 B **1** article **2** prize **3** reason **4** ordinary

Workbook

Chapter 01

1 Places
p. 1

A
1 표현
2 규칙
3 ~을 찾아 땅을 파다
4 ~을 발견하다
5 ~을 찾다, 발견하다

6 enter
7 name
8 expert
9 worth
10 admission fee

B
1 Sarah named her cat "Mimi."
2 Jack named his daughter "Emma."
3 Mr. Adams named his car "Jaguar."

C
1 Do you know her?
2 He went to the park.
3 Most people don't get lucky.

2 Life
p. 2

A
1 ~을 부러뜨리다, 부수다
2 체중이 늘다
3 ~을 잃다, 줄다
4 운동, 연습
5 우울한, 암울한

6 lately
7 weight gain
8 vegetable
9 avoid
10 take care of

B
1 Read a book and you will get lots of information.
2 Hurry up and you will catch the last train.
3 Eat fresh vegetables and you will be healthy.

C
1 Who is the most important person in your life?
2 Happy people take good care of themselves.
3 You must try to feel good about yourself.

3 People
p. 3

A
1 독특한, 특이한
2 익히지 않은, 날것의
3 냄새가 나다
4 사진을 찍다
5 ~로 유명하다

6 including
7 homeless
8 made of
9 laugh
10 change one's mind

B
1 Kevin gave her a letter.
2 The doctor gave him some medicine.
3 My teacher gave me advice.

C
1 She is well known for her unique fashion sense.
2 This little story might change your mind.
3 She wore a dress made of raw meat.

4 Food
p. 4

A
1 후식
2 거의
3 맛
4 ~을 시도하다
5 (~한 상태로) 변하다, 되다

6 tongue
7 according to
8 invent
9 create
10 popular

B
1 What makes her happy?
2 What makes Jack nervous?
3 What makes the soccer game exciting?

C
1 There are lots of other flavors to try.
2 Why did she invent such a strange flavor?
3 Would you like to try some?

Chapter 02

1 Humor
p. 5

A
1 ~을 읽다
2 떨어지다
3 더 이상
4 다음에
5 우스운

6 silly
7 here and there
8 warn
9 put
10 raise

B
1 What do you think Tom will do this weekend?
2 What do you think we will eat for dinner?
3 What do you think I will wear to school?

C
1 An acorn fell on his head.
2 He ran here and there to warn everyone.
3 He read with a funny voice.

2 Animals
p. 6

A
1 만화
2 ～을 겁나게 하다
3 사실인, 진실의
4 실제로
5 떼를 지어 다니다
6 tiny
7 sting
8 painful
9 run away
10 crop

B
1 That's why I came back home.
2 That's why these shoes are so expensive.
3 That's why Ben wears hats all the time.

C
1 Elephants run away from angry bees.
2 It's funny to see a big elephant scared of a tiny mouse.
3 They are scared of something much smaller.

3 People
p. 7

A
1 10대
2 바라다
3 기도하다
4 빨리
5 계속 ～하게 하다
6 already
7 until
8 stand up
9 disappoint
10 achieve

B
1 I was too tired to brush my teeth.
2 She was too shy to speak.
3 Chris was too busy to go to the party.

C
1 She hoped to grow taller.
2 She kept growing taller and taller.
3 She was disappointed but never gave up.

4 Health
p. 8

A
1 ～을 보다
2 상태
3 살피다, 보다
4 ～인 것 같이 보이다
5 의미하다
6 recently
7 smooth
8 even
9 disease
10 salty

B
1 It can mean he cannot come.
2 It can mean there are treasures on the island.
3 It can mean we will have a pop quiz tomorrow.

C
1 Do they seem bigger than usual?
2 What can they tell a doctor?
3 Healthy fingernails are smooth and pink.

Chapter 03

1 People
p. 9

A
1 붐비는, 복잡한
2 ～을 기다리다
3 존경하다, 예우하다
4 의식, 식
5 쓰러지다, 넘어지다
6 immediately
7 brave
8 forget
9 memorial
10 touch

B
1 Let's get up early in the morning.
2 Let's go to the movies tomorrow.
3 Let's not worry about it too much.

C
1 An old man fell down onto the tracks.
2 He jumped down to help the man.
3 The train hit the two men.

2 Health
p. 10

A
1 연구, 조사
2 더 적게
3 자연의, 천연의
4 빛나는
5 ～에 따르면
6 wash
7 shampoo
8 remove
9 expert
10 lazy

B
1 Do you think he should go to see a doctor?
2 Do you think I should take the subway?
3 Do you think we should read these books?

C
1 They wash their hair about five times a week.
2 Washing your hair too often removes natural oils.
3 Let's be a little more lazy for our hair.

3 World-Famous
p. 11

A
1 달성하다, 성취하다
2 ～없이
3 언어
4 ～에 만족하다
5 현실
6 world record
7 alive
8 translate
9 poem
10 give up

B
1 The problem is not difficult to solve.
2 The water is not safe to drink.
3 The movie is not easy to understand.

C 1 You should never give up.

2 He keeps making more world records.

3 Why does he keep doing it?

4 Places
p. 12

A 1 거대한   6 imagine

2 으스러뜨리다   7 popular

3 무너지다, 떨어지다   8 hide

4 안전한, 안심할 수 있는   9 village

5 관광지   10 permanent

B 1 It looks like it will rain soon.

2 It looks like Paul has a cold.

3 It looks like you had a good time.

C 1 Can you imagine living under a giant rock?

2 There are houses and shops right under the rock.

3 The village is truly amazing to see.

Chapter 04

1 Entertainment
p. 13

A 1 우울한   6 leave

2 창안하다, 창조하다   7 expert

3 이해하다   8 sound

4 이미지, 상   9 owner

5 특별히   10 channel

B 1 How can you make her laugh?

2 How can you make him clean his room?

3 How can you make the kids eat vegetables?

C 1 It was created by animal experts.

2 They understand dogs very well.

3 Dogs like certain sounds.

2 Life
p. 14

A 1 밖에서   6 spend

2 실내에서   7 couch

3 활동적인   8 important

4 건강하지 못한, 부적당한   9 reduce

5 아마도   10 creative

B 1 She is busy cooking dinner.

2 He is busy planning a holiday.

3 Carol is busy taking care of her babies.

C 1 Many people spend too much time indoors.

2 It can make you sad and depressed.

3 How many hours a day do you spend outside?

3 Information
p. 15

A 1 문제   6 researcher

2 결과   7 solve

3 점수   8 flow

4 결과적으로   9 on the other hand

5 차, 홍차   10 remember

B 1 He drives much better than his brother.

2 The actress looks much better than her picture.

3 The new school was much better than the old one.

C 1 The students solved math problems.

2 Chocolate helps blood flow in the brain.

3 The brain works better and doesn't get tired.

4 Places
p. 16

A 1 방학, 휴가   6 place

2 숲   7 conquer

3 이름을 지어주다   8 rich

4 순수한, 깨끗한   9 take a trip

5 의미하다   10 survey

B 1 Would you like to leave a message for her?

2 Would you like to eat out?

3 Would you like to watch a movie with us?

C 1 Would you like to take a trip to Costa Rica?

2 Costa Rica is rich in beautiful nature.

3 Costa Ricans are famous for smiling.

Chapter 05

1 Mysteries p. 17

A 1 귀신   6 believe
   2 의미하다   7 smell
   3 최근에   8 familiar
   4 설명하다   9 nobody else
   5 신선한   10 die

B 1 Have you ever been to South America?
   2 Have you ever seen any famous movie stars?
   3 Have you ever learned other languages?

C 1 My grandmother believed in ghosts.
   2 Some ghosts smell like fresh flowers.
   3 Nobody else could smell the ghost.

2 Animals p. 18

A 1 집단, 무리   6 sight
   2 멀리 떨어진   7 stay
   3 같은, 동일한   8 together
   4 알다, 말하다, 구별하다 9 importantly
   5 감각   10 difference

B 1 I have to wake up early.
   2 They have to arrive on time.
   3 Sam has to finish his homework.

C 1 There are thousands of babies in a penguin colony.
   2 This is how penguin families stay together.
   3 All the babies look the same.

3 Music p. 19

A 1 재능이 있는   6 let
   2 사고   7 record
   3 결코 ~ 않다   8 awesome
   4 설계하다, 만들다 9 tragedy
   5 연습하다   10 success

B 1 How handsome he is!
   2 How fast she runs!
   3 How beautiful these flowers are!

C 1 He lost his left arm in a car accident.
   2 He would never play the drums again.
   3 He turned tragedy into success.

4 World-Famous p. 20

A 1 여전히, 아직도   6 roller coaster
   2 짓다   7 ride
   3 (길이, 크기가) ~이 되다,   8 in length
     측정하다   9 protect
   4 강철   10 earthquake
   5 놀이공원

B 1 Rebecca cooks as well as her mother.
   2 The problem isn't as easy as you think.
   3 The cap wasn't as expensive as he said.

C 1 What makes a roller coaster exciting?
   2 You have to wear special goggles.
   3 Which one would you like to ride?

Chapter 06

1 Psychology p. 21

A 1 두려움, 공포, 무서워하다 6 common
   2 ~을 무서워하다   7 scare
   3 폐쇄된, 둘러싸인   8 evil
   4 공간   9 costume
   5 예시   10 terrible

B 1 I am afraid of flying bugs.
   2 My sister is afraid of being alone.
   3 Many Koreans are afraid of meeting foreigners.

C 1 Almost everyone has a fear of something.
   2 Some people are terrified of Santa Claus.
   3 Christmas must be the most terrible holiday for
     them.

2 Stories
p. 22

A
1 ~을 받다
2 신 나는
3 인간, 사람
4 유명한
5 지역

6 swim up
7 dive
8 huge
9 stare
10 realize

B
1 Watching movies is my hobby.
2 Exercising every day is good for your health.
3 Learning English is very important.

C
1 She was on a boat watching a dolphin.
2 He tossed the fish into the boat.
3 The first fish was a gift for her.

3 Letter
p. 23

A
1 휴가를 가다
2 즐기다
3 또한, 게다가
4 혼자, 홀로
5 필요하다

6 perfect
7 while
8 furthermore
9 throughout
10 a range of

B
1 You don't need to go shopping.
2 She doesn't need to clean her room.
3 You don't need to go to the bank.

C
1 Going on vacation is hard, isn't it?
2 You can't leave your pet alone in your house.
3 We're the perfect place for your pet.

4 Information
p. 24

A
1 분리된
2 통제하다
3 어떤, 확실한
4 운동
5 ~에 깜짝 놀라다

6 improve
7 professional
8 practice
9 creative
10 intelligence

B
1 Beautiful pictures make me feel good.
2 This cap makes him look nice.
3 The doctor made me take this medicine.

C
1 Juggling is like a workout for the brain.
2 Your brain becomes more creative.
3 You don't need to be a professional.

Chapter 07

1 World News
p. 25

A
1 상상하다
2 거꾸로 된, 뒤집힌
3 ~의 안에, 안으로
4 완전히
5 ~의 아래에

6 furniture
7 above
8 afraid
9 fall down
10 uncomfortable

B
1 Can you imagine that we travel into space?
2 Can you imagine that you live on another planet?
3 Can you imagine that there is no traffic sign on the roads?

C
1 The floor is up above your head.
2 The ceiling is under your feet.
3 It's scary to walk under the heavy things.

2 Myth
p. 26

A
1 흔한
2 믿음, 신념
3 사실
4 쥐덫
5 잡다, (병에) 걸리다

6 weather
7 grow
8 thick
9 go out
10 cold

B
1 How many books are there in your bag?
2 How many apple trees are there in the garden?
3 How many people visit the museum?

C
1 England's total rainfall is much less than Korea's
2 Don't go out in the rain or you'll catch a cold.
3 Shaving makes your hair grow thicker.

3 Animals
p. 27

A
1 내내, 언제나
2 특히
3 실제의, 현실의
4 발견하다
5 수컷의, 수컷

6 recently
7 attract
8 prefer
9 voice
10 choose

B
1 I love to read books at night.
2 She loves to travel around the world.
3 Ryan loves to wear blue shirts.

C 1 Have you ever heard a mouse sing?

　2 Mice in cartoons sing all the time.

　3 The male mice sing to attract female partners.

4 Sports　　　　　　　　p. 28

A 1 득점, 점수　　　　6 at a time

　2 증가하다　　　　　7 confusing

　3 점, 점수　　　　　8 soon

　4 있다, 놓여 있다　　9 shape

　5 따라서　　　　　　10 invent

B 1 This book is difficult to read.

　2 This box is heavy to carry around.

　3 French is not easy to learn.

C 1 The scores become even more confusing.

　2 Learn to play tennis and you will soon understand.

　3 Tennis was invented in France.

Chapter 08

1 History　　　　　　　　p. 29

A 1 고대의　　　　　6 enjoy

　2 모으다　　　　　7 send

　3 섞다　　　　　　8 slave

　4 냉동된　　　　　9 bring A back

　5 황제　　　　　　10 luxury

B 1 Having a vacation makes me excited.

　2 A cup of milk makes me warm.

　3 The new chair made her uncomfortable.

C 1 Ice cream is loved by millions of people.

　2 They mixed the snow with fruit.

　3 Only kings and queens could eat ice cream.

2 World News　　　　　　p. 30

A 1 어울리다　　　　　6 common

　2 ~을 놀리다　　　　7 lucky

　3 바꾸다, 변경하다　　8 funny

　4 실제로, 정말로　　　9 passport

　5 분명히　　　　　　10 list

B 1 Do you think it will rain tomorrow?

　2 Do you think they are rude?

　3 Do you think he will come to the party?

C 1 His name was too common and too boring.

　2 He wanted a less common name.

　3 He actually changed his name.

3 Nature　　　　　　　　p. 31

A 1 건강　　　　　　6 eat up

　2 ~을 야기하다　　7 save

　3 기르다, 사육하다　8 pollution

　4 생산하다　　　　9 affect

　5 행성　　　　　　10 an amount of

B 1 How about going to a Chinese restaurant?

　2 How about meeting at seven on Sunday?

　3 How about taking a break for ten minutes?

C 1 The food affects our health.

　2 Eating too much meat causes heart disease.

　3 Greenhouse gases are making our planet hotter and hotter.

4 Psychology　　　　　　p. 32

A 1 상상하다　　　　　6 keep

　2 우울하게 만드는　　7 dull

　3 치유하는　　　　　8 accident

　4 진정시키다　　　　9 ideal

　5 혼합물　　　　　　10 hurt

B 1 What good girls they are!

　2 What a great movie it is!

　3 What a brave man you are!

C 1 Try to imagine a world without colors.

　2 Walking in a forest is ideal.

　3 Lavender is a popular color for bedrooms.

Chapter 09

1 World News
p. 33

A 1 가난한
   2 걸어서 돌아다니다
   3 모으다
   4 구하다
   5 ~을 통과하여
   6 during
   7 stranger
   8 pair
   9 wish
   10 journey

B 1 Do you know that she is from Japan?
   2 Do you know that your bag is open?
   3 Do you know that driving a big car isn't easy?

C 1 He said goodbye to his family.
   2 Strangers gave him food.
   3 He only spent money on shoes.

2 Stories
p. 34

A 1 성공한
   2 등장인물
   3 인생, 삶
   4 녹음하다
   5 혼수상태에 빠져서
   6 spend
   7 accident
   8 respond
   9 all of a sudden
   10 awake

B 1 He spent one hour looking for a restaurant.
   2 I spent my time reading English books.
   3 She spent some time pulling weeds in the garden.

C 1 He was in a coma for many weeks.
   2 His family stayed by his side.
   3 They talked to him all the time.

3 Science
p. 35

A 1 영원히, 평생
   2 존재하다
   3 독특한, 특별한
   4 생명체
   5 바다
   6 immortal
   7 change A into B
   8 tiny
   9 capture
   10 prey

B 1 I can change the bill into coins for you.
   2 The magician changed pieces of paper into a pigeon.
   3 She changed the red shirt into the blue one.

C 1 They only exist in books and movies.
   2 They grow and change into tiny polyps.
   3 They start the cycle all over again.

4 Life
p. 36

A 1 이사하다, 옮기다
   2 ~으로 들어가다
   3 이상하게
   4 친구를 사귀다
   5 나아지다
   6 natural
   7 lonely
   8 in common
   9 keep
   10 friendly

B 1 She doesn't want to go to sleep early.
   2 I don't want to play the piano.
   3 They don't want to go to the party tonight.

C 1 I couldn't make friends at all.
   2 Find things in common with your classmates.
   3 He would love to be friends with you.

Chapter 10

1 Stories
p. 37

A 1 심하게
   2 손상을 주다
   3 거의 ~않다
   4 여전히, 아직도
   5 영화 제작자
   6 marry
   7 catch
   8 breathe
   9 unhappy
   10 series

B 1 When I was seven, I bought the bike.
   2 When she was sick, I looked after her.
   3 When he came back from school, he looked very tired.

C 1 They have lived together for 47 years.
   2 They can't breathe without machines.
   3 They laugh and joke all the time.

2 Health
p. 38

A 1 해를 끼치다
  2 야기하다
  3 문지르다
  4 병
  5 ∽을 떨어뜨리다

  6 tiny
  7 germ
  8 protect
  9 sneeze
  10 soapy

B 1 Read a book whenever you can.
  2 Do some exercise whenever you can.
  3 Help other people whenever you can.

C 1 Your body is amazing and strong.
  2 Germs cause the flu and many other illnesses.
  3 Keep your desk and keyboard clean.

3 Issue
p. 39

A 1 알아내다
  2 명심하다
  3 정확히
  4 주장하다
  5 결과

  6 river
  7 measure
  8 task
  9 argue
  10 accept

B 1 Chris is the tallest student in my school.
  2 Salad is the fastest meal in this restaurant.
  3 This is the most beautiful dress in the shop.

C 1 Let's find out who is right.
  2 Measuring a river is not an easy task.
  3 The result is not accepted by all scientists.

4 Science
p. 40

A 1 보통의, 평범한
  2 ∽와 다른
  3 이유
  4 글, 기사
  5 현재의, 최신의

  6 invent
  7 die of
  8 cancer
  9 create
  10 come to

B 1 She enjoys singing and dancing.
  2 Matthew enjoys helping other people.
  3 I enjoy reading a book and writing a book report.

C 1 He is unlike ordinary teenagers.
  2 The money will help him go to college.
  3 How did he come to invent it?

Memo